LA PUISSANCE DU REGARD

Il y a dans le regard des forces inconnues ; il parle une langue comprise par le cœur et pénétrant jusqu'à l'âme, aussi est-il senti des hommes de tous les temps, de tous les pays, de toutes les races, et est indépendant, dans une certaine mesure, de leur degré d'évolution.

collection ˝SAVOIR POUR RÉUSSIR˝

OUVRAGES DU MEME AUTEUR
(chez le même éditeur)

La radiesthésie moderne. Théorie et pratique complètement ex-
pliquées.

Antoine LUZY

LA PUISSANCE DU REGARD

64ᵉ mille

**Il y a dans votre regard
des forces inconnues :
apprenez à les utiliser.**

Editions **DANGLES**
18, rue Lavoisier
45800 ST JEAN DE BRAYE

ISSN : 0337-8268
ISBN : 2-7033-0128-6

© Editions Dangles - St Jean de Braye (France) - 1973

AVERTISSEMENT

L'étude de l'œil au point de vue physiologique, a été poussée très loin, mais au point de vue psychologique, il n'en est pas de même. Les poètes ont bien parlé du langage du regard, de ses douceurs, de ses langueurs, de ses violences, mais sans aller au-delà de l'expression de sentiments simples.

L'analyse du regard et de ses propriétés psychiques a été effleurée par quelques théoriciens de l'hypnotisme, très peu par les philosophes, mais sans jamais donner lieu à une étude étendue de ses propriétés réelles d'extériorisation et d'influence.

C'est un lieu commun de parler du magnétisme du regard. Dans l'esprit du vulgaire, cela résume ce qu'on entend, ce qu'on sent, ce qu'on suppose, ce qu'on croit deviner dans le caractère mystérieux du regard. L'idée du magnétisme du regard amène naturellement l'idée du pouvoir fascinateur de l'œil et la légende s'alimente volontiers des conceptions les plus fantastiques relatives à des enchantements, à des maléfices dus à l'action de certains regards mus par une volonté infernale. Dans quelques pays, en Italie notamment, lorsqu'une personne présente dans l'organe de la vue une conformation quelque peu anormale, elle est réputée comme

possédant le *mauvais œil,* et sa rencontre est toujours considérée comme un fâcheux présage. C'est là une superstition
populaire, qu'on retrouve un peu partout, sous des formes
multiples et pour des objets divers ; elle résulte de l'impression pénible se dégageant d'une disgrâce physique, donnant
à la physionomie un aspect inharmonieux et paraissant même, à des personnes sensibles, quelque peu terrifiant. Et
lorsqu'à cet aspect s'ajoutent les effets d'une croyance au
pouvoir mystérieux et terrible du regard, l'on conçoit comment peut se former tout un faisceau de craintes, auxquelles
l'imagination ne manque pas d'apporter son inévitable appui.

L'organisme humain est riche en réflexes divers, mais aucun
d'eux ne présente la mobilité et la vivacité des réflexes de
l'œil. La cornée possède une sensibilité extrême ; le plus faible attouchement, le plus léger contact, le plus minuscule
corps étranger, déterminent des battements de paupières,
leur abaissement et la venue des larmes, par un mécanisme
automatique destiné à protéger l'œil et à en chasser par un
lavage abondant, les particules de matière déposées sur la
cornée.

Le cristallin aux mouvements incessants, volontaires ou
non, et l'iris aux dilatations et contractions continuelles et
inconscientes, commandées par l'intensité du flux lumineux
pénétrant dans l'œil par le trou pupillaire, apparaissent comme le siège d'un remarquable ensemble de réflexes parfaits,
par leur rapidité et leur indépendance totale de la volonté.
La promptitude de ces réflexes donne aux individus possédant une intense activité psychique, une grande vivacité
d'expression et une apparence de vitalité extraordinaire, traduisant d'une manière inconsciente tous les mouvements de

la vie affective. Comme la parole permet aisément de déguiser la pensée, le psychologue averti constate bien souvent combien, chez certaines gens, l'expression du regard, indépendante de la volonté, contredit les affirmations du langage.

Les jeux de la physionomie fournissent une grande variété d'expressions, résultant des contractions d'ensemble, ou séparées, des muscles de l'œil. Tous ces muscles produisent l'ouverture ou l'occlusion des yeux, le clignotement ou le clignement des paupières ; les muscles sourciliers contribuent, avec les muscles commandant le globe oculaire, à créer la mimique des yeux, laquelle, par la diversité de ses mouvements, détermine le caractère du regard.

Nous avons entrepris dans notre ouvrage une analyse relativement complète de la psychologie du regard ; c'est là un travail étayé par une longue observation des faits de vision oculaire et une expérience pratique des possibilités du regard appuyé sur la pensée. Nous avons parcouru un domaine peu exploré encore, sans nous embarrasser, en présence de faits d'apparence paradoxale, par des considérations de respect humain. Notre objectif a été de poursuivre la découverte des choses vraies, même si elles paraissent peu vraisemblables, et de redresser quelques erreurs dues à l'ignorance des causes.

Il y a dans le regard des forces inconnues, dont l'analyse est pleine d'intérêt, mais leur nature ne permet pas de les rapprocher des formes d'énergies plus anciennement exploitées par l'homme. Quant à la nature, elle fait encore l'objet de diverses hypothèses, mais d'aucune certitude. Si donc, la nature des forces mentales, dont peut se trouver chargé le regard, n'est pas connue, il ne s'ensuit pas qu'on puisse, comme il en est des autres forces, les utiliser. Et c'est par la conviction de la réalité des bienfaits qu'on peut tirer de l'utilisation des forces libérées par l'esprit, transmises par le regard et la pensée que nous avons été amené à concevoir le présent ouvrage.

Professeur Antoine LUZY.
Paris 1947.

CHAPITRE I

LE REGARD ET LA PENSÉE

Les sens ont un rôle bien défini, mais aussi bien limité ; limité non seulement en perception, mais encore en étendue. Le toucher arrête son pouvoir à la surface du corps ; il en est de même du goût, sorte de toucher interne, dont la perception est d'une délicatesse exquise. L'odorat s'exerce seulement à proximité du nez et l'ouïe à une distance dépendant de la distance à laquelle les sons les plus intenses ne sont plus capables de se faire entendre. Par contre, la vue, véritable sens privilégié, est seule à permettre la perception universelle du monde extérieur. Elle est à la base de toutes les observations des êtres et des choses et elle préside à la formation des jugements humains. C'est presque un truisme d'énoncer toutes les possibilités qu'elle confère à l'homme, allant de la pénétration du regard dans le monde des infiniments petits, à la recherche et à l'analyse des choses de l'immensité sans limite de l'Univers sidéral.

C'est par la vue et par la notion qu'elle permet d'acquérir du regard venant des autres êtres, qu'on ressent toute l'influence émanant, parfois, de ce regard, qu'on en constate et qu'on en comprend la puissance magnétique qu'il est capable de fournir. Comment, en effet, ne pas admirer certains yeux, ne pas être touché de leur pureté et de leur douceur, lorsqu'ils sont voilés de longs cils, comme les yeux noirs au profond mystère, ou les yeux bleus semblant réfléchir l'azur d'un ciel pur ? Chef-d'œuvre de la nature, ces yeux semblent, par certains de leurs regards, émaner directement de la divinité, et leur silencieuse éloquence touche, prend jusqu'au fond de l'âme ; leur vivacité, leur fixité, ou la lenteur de leur mouvement, forment un langage devant lequel nul n'est insensible.

L'action de l'homme sur l'homme est, certes, la conséquence de plusieurs causes, mais aucune d'elles n'a une action pouvant rivaliser avec celle de la vue. L'on est habitué à voir les choses par l'extérieur et l'on ne se doute guère combien leur aspect influe sur le jugement. L'on se fait souvent une opinion d'un individu d'après sa physionomie et ensuite d'après la manière dont il est vêtu. La parole a une action certaine sur la formation des idées et des croyances, mais combien cette action n'est-elle pas renforcée par le regard ? Lorsqu'on entend parler quelqu'un sans le voir, lorsqu'on fait une lecture, toutes les phrases, tout le contenu des pensées exprimées, ne sont saisis, compris, qu'en donnant naissance simultanément à des images mentales, sortes de visions intérieures imaginaires, montrant d'une manière certainement fausse l'orateur invisible, les personnages agissant dans la lecture qu'on fait, ou les choses dont on parle, mais ces images montrent combien est grande et impérieuse la nécessité de voir en même temps qu'on entend ; les paroles gagnent en force lorsque le regard, par ses expressions infiniment variées, les appuie. Ainsi, chez l'orateur, dont toute la vie semble concentrée dans le regard, quelle puissance aurait la parole, même soulignée de gestes ou d'attitudes diverses, si de ses yeux ne partaient pas des rayons, passant de la douceur la plus sereine à l'irritation la plus violente suivant les sentiments dont son âme est agitée ? L'éloquence froide ou passionnée ne suffirait pas, seule, à saisir les auditeurs aux entrailles, à les plier sous les suggestions entendues.

*
**

Le regard est caractérisé par la manière de porter la vue sur un objet : c'est la façon de regarder. Le regard est encore un moyen d'expression donnant la vie à l'expression d'ensemble du visage, sous l'influence d'un sentiment, d'une pensée, d'un état d'âme et indépendant de tout acte visuel.

La formation du regard dépend de la position du cristallin, en raison de la direction du rayon visuel, et des annexes de l'œil, muscles et membranes formant son entourage immédiat.

Dans certains états psychologiques, le cristallin s'immobilise au centre de l'œil, dont l'expression traduit des sentiments de courte durée, coïncidant avec une sorte de blocage subit de la pensée, en présence d'un spectacle extérieur ou d'une circonstance déterminant la crainte, la surprise, la joie vive ou toute émotion de nature à suspendre le jeu normal de la réflexion.

Le regard est un agent de transmission et d'extériorisation au service de la pensée et de la force mentale, dont il conduit et guide l'influence.

Dans l'un de nos précédents ouvrages, nous disions, à propos d'hypothétiques rayonnements humains : « Plus admissible est l'existence du rayon visuel, dont la puissance et le pouvoir multiplicateur sur l'action motrice de la pensée ne peuvent être contestés. D'instinct l'on sent jaillir des yeux de certains individus quelque chose d'étrange, d'indéfinissable qui saisit, subjugue, fascine. On comprend la puissance de suggestion possédée par les grands chefs, dont les commandements sont irrésistibles, par les orateurs tenant sous leur charme ou leur autorité tout un auditoire, par quelques charlatans dont la faculté de persuasion, appuyée par le regard, domine littéralement la volonté de leurs victimes.

« La pensée soutenue par le rayon visuel gagne en intensité, en force, et son pouvoir moteur en est accru, au point qu'il devient possible de faire mouvoir par l'action mentale de légers mobiles, et même des opérateurs entraînés réussissent à faire mouvoir des objets assez lourds. Un radiesthésiste de notre connaissance nous a affirmé qu'en suspendant un de ses pendules par un fil très fin, à un support approprié, et en s'installant dans un fauteuil face au pendule, il agit sur lui par la pensée et le regard et, qu'au gré de sa volonté, il lui fait accomplir des girations dans le sens qu'il lui plaît. Nous avouons humblement n'avoir jamais pu réussir personnellement une telle expérience, sans toutefois la considérer comme impossible.

« Le rayonnement visuel a une fonction double : il perçoit les rayons lumineux et émet des radiations mentales obscures. Lorsque les yeux voient un objet, la vision résulte non pas d'un rayon partant de l'œil pour aller à l'objet, mais de rayons lumineux réfléchis par cet objet, ou émis directement par lui, s'il est lumineux lui-même, et venant frapper la rétine. Mais si le regard résulte de l'orientation ou de l'accommodation des organes de l'œil pour voir le monde extérieur, il n'a, au point de vue optique, aucun pouvoir d'émission, mais au point de vue psycho-physiologique, il a un grand pouvoir d'expression et de rayonnement, directement en rapport avec la pensée, les états affectifs ou les états d'âme. Le regard, par ses radiations, appuie la parole traductrice de la pensée et seconde le rayonnement cérébral direct, s'effectuant peut-être au travers de la boîte crânienne. Si donc on regarde un objet, les rayons venant de cet objet frappent la rétine, mais le rayonnement de la pensée par les yeux va jusqu'à lui. Il y a donc, lors de la perception visuelle, circulation en sens inverse et simultanément, de deux catégories de radiations. » [1]

*
* *

La puissance du regard est directement liée à l'intensité des émotions, à la vigueur des sentiments, à la véhémence des désirs et aussi à la persévérance, à l'insistance des actions mentales traduites dans des suggestions prononcées en soi-même et dont l'efficacité dépend de leur netteté et de leur exactitude à exprimer, à définir ce qu'on ressent dans le désir ou dans la pensée volitive.

Dans l'application du regard à une personne ou à un animal, la suggestion mentalement proférée augmente et rend

---

1. Antoine Luzy. — *La Radiesthésie Moderne,*

plus pénétrante l'action du regard, et d'autant plus qu'elle est plus longuement répétée.

Mais la répétition de la suggestion ne doit donner lieu à aucun effort intense de volonté. Les termes énoncés agissent d'eux-mêmes par la succession des impulsions mentales qu'ils déterminent. La suggestion doit être dite dans le calme spirituel le plus absolu, sans tension de la volonté, sans contractions musculaires, sans serrements de dents ni de poings, sans crispations d'aucune sorte, sans modification du rythme respiratoire, le tout pouvant amener une fatigue rapide de l'opérateur. Le regard lui-même doit être posé sans effort en un point déterminé, sans avoir ni l'intention ni la pensée de faire pénétrer le rayon visuel sous la surface qu'il frappe, cette intention ou cette pensée rendant pénible l'application du regard. D'ailleurs, la pénétration du regard s'opère d'elle-même sous le choc mental produit par la répétition de la suggestion.

L'un des plus grands obstacles à l'application du regard est le maintien de sa fixité, sans aucun battement des paupières ni déviation du rayon visuel. Le mouvement des paupières est instinctif, il évite la fatigue de l'œil et facilite l'étalement des larmes, dont la production permanente assure la lubrification de la partie en contact avec l'air extérieur. Une partie de ces larmes s'évapore et le reste s'accumule dans l'angle interne de l'œil, pour s'écouler par les canaux lacrymaux dans les fosses nasales, où elles se dessèchent.

On acquiert une grande maîtrise du regard par des exercices d'entraînement de durée progressivement croissante, ces exercices étant de quelques secondes au début, pour atteindre par la suite une durée pratiquement illimitée.

L'on verra au chapitre VII comment s'accomplit l'éducation du regard, dans quelles conditions de progressivité elle doit se réaliser et quels résultats étonnants on peut obtenir, non seulement sur l'œil considéré en lui-même, mais sur les êtres animés, hommes ou bêtes, soumis à l'action du regard.

Pendant certains exercices, il faut s'appliquer à maintenir le regard fixe, en y pensant de moins en moins. Avec le temps, la fixité prolongée du regard se réalise d'une manière machinale. Il en est ainsi, d'ailleurs, dans certaines circonstances, lorsqu'on est absorbé dans la contemplation d'un objet au sujet duquel des pensées nombreuses se présentent à l'esprit, dans la recherche d'une solution difficile et, comme nous l'avons dit plus haut, dans les effets de surprise, de saisissement ou encore d'hallucination, d'extase, de ravissement extrême, de fascination. Bien entendu, nous envisageons seulement ici les cas se présentant lorsque le sujet demeure à l'état normal, en dehors des états seconds, comme le somnambulisme, par exemple, dans lequel la fixité du regard n'implique nullement l'existence de la vision physique chez le sujet.

*
**

Dans un prochain chapitre, l'on verra *comment il faut vouloir* dans l'application du regard et de l'influence personnelle. Mais il faut, dès à présent, comprendre combien est différente l'action exercée sur des personnes *non prévenues,* en face desquelles on se trouve avec l'intention bien arrêtée de leur imposer une volonté dont ils ne doivent pas soupçonner l'existence ; ces personnes se trouvent, d'ailleurs, à l'état

normal, parlant, discutant, usant librement de toutes leurs
facultés de déduction, de raisonnement, agissant avec leur
plein pouvoir d'objectivité ; il faut bien comprendre, disons-
nous, combien est différente l'action exercée sur ces personnes de celle appliquée à des sujets prévenus, consentant, se
soumettant de bonne grâce à des expériences dans lesquelles,
bien souvent, elles se trouvent amenées d'une manière automatique à de légers états seconds. C'est ainsi qu'au cours
d'expériences de suggestion mentale, il s'agit de faire exécu-
ter par un sujet placé à quelque distance de l'opérateur, des
mouvements simples. Le sujet, pour être complètement sous-
trait à l'auto-suggestion, ne doit pas voir l'opérateur, ni les
personnes de l'assistance, afin de ne pouvoir interpréter
aucun geste, aucun jeu de physionomie venant de son entourage, et pour cela, il a les yeux couverts par un masque très
opaque. L'opérateur commence par lui faire quelques passes
magnétiques, en tenant ses mains à distance d'environ dix
centimètres, dans le but d'isoler mentalement le sujet de
tous les êtres et de toutes les choses l'environnant. Ensuite
l'opérateur s'éloigne de deux ou trois mètres et précise dans
sa pensée l'idée de l'acte dont il va suggérer l'exécution au
sujet. Puis, concentrant toute sa volonté, il prononce mentalement ses suggestions d'une manière très méthodique et très
progressive. Si, par exemple, il veut lui faire lever le bras
droit, il commande d'abord au sujet de séparer son bras
droit du corps, puis ensuite de le lever un peu plus, puis
encore un peu plus, à mesure de l'accomplissement du mouvement. La suggestion s'applique par petites fractions, de
manière à décomposer le mouvement. Si l'on suggérait au
sujet de lever le bras d'un seul effort, la suggestion n'aurait

pas assez de force pour imprimer au membre une impulsion capable de faire réaliser le geste.

La concentration de la volonté chez l'opérateur détermine une fatigue très rapide ; les expériences ne peuvent donc pas être de longue durée. Autrefois, alors qu'on n'avait pas approfondi certains phénomènes mentaux, l'on considérait comme indispensable à la réussite des expériences une grande force de volonté et, pour agir sur un sujet, dans les plus simples essais d'influence hypnotique, comme les attractions du sujet en avant et en arrière, par exemple, l'opérateur tendait sa volonté, ou du moins croyait la tendre, sans bien se rendre compte de ce qu'était réellement la volonté.

Personnellement, à l'époque où nous étions secrétaire-adjoint de la Société d'Etudes psychiques de Lille, vers 1903, nous pratiquions chaque jour l'expérimentation psycho-physiologique et en particulier la thérapeutique suggestive, nous avons constaté bien souvent combien l'emploi un peu prolongé de la volonté nous laissait dans un état de dépression totale, dont nous ne pouvions nous remettre qu'avec quelques heures de repos.

Nous avons été ainsi amené à rechercher des moyens de traiter nos sujets sans compromettre notre propre équilibre physiologique. Or, un jour, nous sentant peu dispos pour l'expérimentation, nous nous proposions de nous détendre l'esprit et le corps par une bonne soirée de lecture agréable, lorsque notre projet fut renversé par la visite inattendue d'une jeune personne, conduite par sa mère et désirant guérir d'un trac terrible s'opposant à la poursuite de la carrière théâtrale où elle s'était déjà engagée, en suivant les cours d'un conservatoire. Notre volonté personnelle étant quelque

peu vacillante, nous nous sentions fort perplexe et assez peu
disposé à traiter notre visiteuse. Mais l'amour-propre l'em-
portant, et peut-être aussi gagné par le visage sympathique,
agréable, et l'air confiant du sujet, nous fîmes un effort pour
lui donner satisfaction. Quelques essais préalables d'influence,
d'où notre volonté, contrairement à l'ordinaire, était absente,
mais remplacée par un vif désir de réussir, désir traduit en
nous par une formule venue tout naturellement à notre
esprit, s'accomplirent d'une manière parfaite. Nos suggestions
au sujet, prononcées aussi dans le désir et non dans la volonté, eurent des effets merveilleux en une seule séance et
nous valurent par la suite, de la part du sujet, une nouvelle
visite de remerciements. Mais si, n'eût été les convenances,
nous avions pu remercier le sujet de nous avoir fourni l'occasion de découvrir un principe opératoire nouveau, nous l'au-
rions fait bien volontiers.

Dès lors, après une étude approfondie des propriétés du
désir, comparées à celles de la volonté, nous avons continué
à opérer sans elle avec un plein succès et sans aucune fatigue appréciable. Nous avons pu faire de nombreuses expériences de suggestion mentale, de transmission de pensée, de
télépathie volontaire et créer un processus opératoire nouveau en radiesthésie, en substituant partout et toujours le
désir à la volonté, et là où l'emploi du désir trouve son
plein épanouissement, c'est dans les applications relatives à
la mise en jeu du regard et de l'influence personnelle, objet
du présent ouvrage.

Dans le chapitre suivant, nous examinerons plus en détail
volonté et désir mais nous ne saurions trop conseiller, dès
à présent, pour tirer de l'une et de l'autre le maximum de

rendement, d'acquérir quelques connaissances relatives à la pratique de l'hypnotisme et de la suggestion, et de faire un examen préalable d'ensemble de la psycho-physiologie. Cet examen, relativement simple, est rempli d'intérêt et permet d'aborder ensuite l'étude féconde de toutes les matières ayant des rapports avec les phénomènes intellectuels et mentaux.

CHAPITRE II

L'ATTENTION ET LA VOLONTÉ DANS L'APPLICATION DU REGARD. LA SUPÉRIORITÉ CHEZ L'HOMME

Dans toute action exercée en vue de l'extériorisation de la force mentale ou de la pensée, et l'application du regard n'ayant pas d'autre but que de soumettre d'une manière directe ou indirecte une personne ou un animal à l'influence mentale de l'opérateur, le résultat cherché est d'autant plus rapidement obtenu qu'on agit avec une attention plus soutenue et avec le moins de volonté possible.

Lorsqu'un opérateur applique son regard pour en faire sentir l'influence, il concentre instinctivement son attention sur le point où le regard est appliqué. L'attention est donc d'une importance primordiale, car elle permet à la pensée de se concentrer, sans être troublée par des causes diverses venant de l'extérieur ou du propre fonds de l'opérateur.

L'attention est une fonction de l'intelligence créant un état intellectuel prédominant. Cet état se forme rapidement et sans réflexion préalable dans l'attention spontanée, et lentement et sous le contrôle de l'intelligence dans l'attention volontaire. Arrêter son attention, la concentrer, c'est donc laisser se former, durer et prédominer cet état.

L'attention spontanée existe dans l'homme naturellement : c'est une fonction instinctive, agissant comme un réflexe immédiat. La fixation automatique du regard dans les cas cités au chapitre I : effets de surprise, saisissement, etc., semble solidaire de l'attention spontanée, laquelle se concentre aussitôt sur la cause ayant déterminé l'arrêt du regard. L'attention volontaire résulte de l'action de la volonté, c'est une acquisition de l'éducation et de l'habitude.

L'attention volontaire est un effort de l'esprit produisant l'immobilité musculaire, pour concentrer l'action et renforcer l'application de l'intelligence à la distinction d'un objet, à l'étude d'un texte, à l'examen d'une pensée intérieure, ou à l'extériorisation de la force mentale, afin de voir sans confusion, de comprendre sans équivoque, ou d'agir avec succès.

L'attention volontaire est à la base de tout redressement de la conscience en présence d'un appel ou d'un danger menaçant. Mais c'est un état exceptionnel ne pouvant être entretenu très longtemps ; il ne peut qu'être momentané, car il est opposé à la nature humaine, dont le caractère est fait de mouvement et de variété. Pour éviter la fatigue résultant d'un effort d'attention soutenu, il convient de ne jamais le prolonger trop longtemps.

L'attention produit une contrainte de l'esprit, une contraction intellectuelle, pouvant amener des troubles sérieux disparaissant heureusement avec son relâchement. Mais le dérangement fonctionnel, tout momentané qu'il soit, est un avertissement à ne pas négliger, car les quelques instants d'efforts accomplis ont causé une grande dépense d'énergie mentale, dont la répétition un peu fréquente causerait des troubles physiologiques divers, affectant les fonctions les plus essentielles de l'organisme. La vue, notamment, subit le contrecoup du surmenage de l'œil dans les excès répétés de l'attention volontaire pour entretenir la fixité du regard.

Les exercices et les applications relatifs à l'emploi du regard fixe doivent donc être conduits avec modération. L'œil est capable de voir longtemps sans fatigue, dans une vision normale et variée, mais il ne faut pas oublier qu'on lui impose un fonctionnement anormal, dans un état de fixité souvent répété et longuement entretenu, pouvant affecter sérieusement l'intégrité de l'organe.

*
* *

L'exercice de l'attention présidant à la fixation du regard, doit donc se pratiquer avec une circonspection très grande, et le principe du secret de transmettre avec efficacité l'influence mentale par les yeux est de doser d'une manière convenable le nombre et la durée des applications, et de ne jamais leur donner le caractère d'une opération forcée ; elles doivent être calmes, posées, attentives et patientes. L'esprit doit se maintenir exclusivement sur la pensée relative à l'opération, et cette pensée doit être exprimée mentalement dans une forme claire, précise et brève, traduisant très exactement l'intention et le désir en vertu desquels on opère. A l'expression de l'intention et du désir s'ajoutent les suggestions propres à faire sentir au sujet visé l'influence du regard de l'opérateur. La forme des suggestions doit également

être bien étudiée pour ne pas aller à l'encontre de l'intention
et du désir.

« Lorsque l'attention n'est pas spécialement sollicitée, il
se succède dans l'esprit une multiplicité d'évocations auto-
matiques, ramenant des souvenirs de courte durée, faisant
rapidement place à d'autres ; c'est un mouvement incessant
d'idées immédiatement suspendu si l'on bloque l'attention
sur un sujet bien défini. Tous les états de conscience deviennent alors relatifs à l'objet de l'attention.

« Sauf dans les cas où l'attention tendant tout l'être vers
une idée unique suspend toute activité de l'esprit, en la lo-
calisant sur un seul objet, l'attention est toujours sollicitée
par des idées flottantes venant s'opposer à sa fixité. Dans
l'attention volontaire, l'on sent très bien les effets de ces
idées s'insinuant dans les réflexions et dont on se débarrasse
parfois avec peine au prix d'un sérieux effort de volonté.

« Nul effort n'est nécessaire pour mettre en jeu l'attention
spontanée, et elle est d'autant plus vivement sollicitée qu'elle
l'est pour un objet ayant des rapports avec les tendances naturelles ou acquises de l'individu, lesquelles résultent du caractère, de l'éducation ou des habitudes professionnelles.
C'est pourquoi les faits frappant vivement l'esprit laissent des
souvenirs d'autant plus précis qu'ils sont en concordance
avec les tendances naturelles ou acquises.

« A l'origine de l'attention spontanée se trouve toujours
une impression, une émotion, un état affectif et, lorsque le
fait ayant sollicité l'attention se développe et fait naître l'intérêt, on consent à demeurer attentif pour en suivre toute
l'évolution et l'attention devient volontaire. En somme, tout
le secret de la concentration de l'attention consiste à *créer*

et à entretenir l'intérêt, et lorsque l'esprit est vivement intéressé, l'on se trouve dans la condition la plus favorable à
l'observation, à la formation des idées et des souvenirs précis et durables. »[1]

L'attention volontaire n'est donc qu'un état psychologique
et intellectuel particulier, dans lequel la pensée est exclusivement dirigée sur un objet. Lorsque la pensée n'a pas à
faire d'effort de compréhension, comme dans l'application
du regard, la fixité de l'œil est d'autant plus aisée qu'aucun
réflexe venant de la réflexion intérieure n'agit pour provoquer le mouvement des paupières, ou le déplacement du
rayon visuel.

Comme en toute chose, l'exercice dans l'attention amène
l'habitude ; l'effort de concentration diminue d'une manière
progressive et l'on s'entraîne à être attentif, comme à la
pratique de tous les exercices. Mais l'attention n'en demeure
pas moins une forme très instable de l'activité spirituelle et,
malgré l'entraînement, elle est sujette à des défaillances.
Chez certains individus, elle demeure réfractaire à toute éducation, il leur est par la suite impossible d'aborder des études sérieuses et de conquérir le moindre empire sur le jeu
de leur pensées et de leurs forces mentales ; ils ne peuvent
prétendre à la maîtrise de leur regard, qu'ils ont d'une mobilité extrême.

Il serait du plus haut intérêt de connaître le mécanisme
psychologique de l'attention, mais il en est d'elle comme des
états intellectuels et des facultés mentales, dont on ne peut

---

1. Antoine LUZY. — *La Radiesthésie Moderne* (Éditions Dangles).

pénétrer l'intimité. Les opinions des savants à leur sujet sont des plus contradictoires, et l'on ne trouve rien dans leurs hypothèses permettant d'envisager un traitement médical spécifique, dans le cas où l'on relève à leur endroit quelques défaillances. Mais si la physiologie reste impuissante envers la faiblesse de l'attention, l'on peut, par rapport à ses effets sur l'observation, la pensée et la mémoire, envisager un traitement psychique d'une réelle efficacité, lorsque ses faiblesses ne dépendent pas d'états morbides. L'expression « attention volontaire » signifie, sans équivoque, la subordination de l'attention à la volonté. Si donc il semble impossible d'agir directement sur l'attention, l'on peut agir sur la volonté, pour déterminer un fonctionnement normal de l'attention.

Mais savoir dire « Je veux » et accorder la pensée avec le sentiment intérieur de la volition juste et mesurée, n'est pas une chose aussi simple qu'elle peut le paraître, et ici nous exposons des faits d'une très grande importance pour l'application du regard, dans le but de développer l'influence personnelle et de soumettre à ses effets les hommes et les animaux, car inséparables des jeux du regard sont toujours la volonté, l'attention et le désir.

En effet, l'on croit souvent vouloir normalement et l'on va trop loin dans l'expression de la volonté, ou bien l'on manque de la conviction nécessaire à son accomplissement. La volonté est efficace quand elle s'appuie sur un légitime désir, sur une intention fondée, sur une détermination froidement mûrie et bien arrêtée, sur une conviction calme et réfléchie de l'opportunité du résultat espéré. La volonté basée sur le caprice, l'impulsion du moment, l'engouement passager, ne contient aucun des éléments propres à lui donner la solidité et la continuité indispensables à l'utilisation rationnelle de l'effort. Si, en disant : je veux, on exagère la tendance volitive, on va à l'encontre du résultat désiré, l'on se met dans un état de surexcitation nerveuse impropre à l'action mesurée de la volonté et l'on fait naître en soi des états de conscience faisant obstacle à la concentration de l'attention et à la limpidité de la pensée. Il faut donc vouloir avec calme et *savoir persévérer*, c'est là la meilleure formule pour procéder à l'éducation de l'attention, sur laquelle nous ne pouvons nous étendre ici. Le lecteur intéressé par la question la trouvera traitée dans notre ouvrage déjà cité : *La Radiesthésie Moderne,* même éditeur.

*
**

Dans de nombreuses circonstances, et en particulier dans la mise en jeu de l'influence personnelle par l'application du regard, il est toujours imprudent de dire : JE VEUX, sans être en possession des moyens de réaliser la volonté, sans bien percevoir ces moyens s'ils existent, et la manière de les employer. Et comme l'exercice de la volonté implique forcément l'emploi des moyens cherchés et trouvés, grâce à des déductions amenées par le raisonnement et ayant contribué à déterminer un mode d'action, la volonté, tout en respectant les décisions de l'esprit, doit s'assouplir, au point de ne pas laisser transparaître sa présence dans les actes propres à faire jouer l'influence mentale, dans la direction où elle doit s'exercer.

L'expérience de la vie démontre que les individus ayant

à tout propos l'habitude de dire : JE VEUX, sont, en général, des faibles, des impulsifs, des emballés, souvent brutaux et maladroits, presque toujours incapables d'actions mûrement délibérées. Lorsqu'on dit : JE VEUX, simplement parce qu'on veut, sans savoir comment la volonté pourra être satisfaite, on bloque l'esprit devant un champ d'action vide, on sollicite l'attention sans objet, on alerte la pensée sans l'alimenter. L'homme d'action ne dit jamais : JE VEUX, mais il compare, réfléchit, délibère, juge et arrête froidement, posément sa décision et agit avec prudence, en scrutant les contingences, afin de savoir si elles ne s'opposent pas et si elles concordent avec ses prévisions.

L'accomplissement de la volonté, dans la mise en jeu de l'influence mentale par l'application du regard, s'opère en substituant à l'effort souvent visible, mais toujours nécessaire à la réalisation de l'acte volontaire, l'expression d'un désir contenant tous les éléments de la volonté, mais sous une forme discrète et subtile, ne laissant rien apparaître de ses intentions sur la physionomie de l'opérateur, au moment où il formule mentalement l'expression de son désir, en présence d'une autre personne qu'il tente de soumettre à son influence. Et même, dans la traduction orale de ce désir, la forme correcte et adroite de cette expression prédispose cette personne à subir l'influence de l'opérateur et à suivre sans résistance ses impulsions mentales. Le désir, forme mitigée de la volonté, doit être formulé sans appuyer, mais avec conviction et sérieux, dans une phrase courte, claire, précisant bien son objet, qu'il soit exprimé mentalement ou oralement.

Le désir a sur la volonté l'énorme avantage, tout en définissant aussi bien qu'elle ce qu'on veut obtenir, de n'apporter chez l'opérateur aucun trouble physiologique, de laisser l'organisme totalement détendu et de ne lui imposer aucune fatigue pouvant s'opposer à la projection de l'influence mentale, à l'extériorisation efficace de la pensée.

*
* *

La concentration de l'attention sur les personnes ou sur les choses qu'on veut observer, a comme conséquence immédiate l'arrêt du regard sur ces personnes ou sur ces choses, et comme nous l'avons exposé, cet arrêt n'a lieu qu'au prix d'un effort.

L'observation ne s'accommode nullement d'un regard trop mobile ou trop rapide, lequel ne donne lieu qu'à des impressions superficielles ne laissant aucune trace sérieuse dans la mémoire, sans fournir aucun élément permettant d'augmenter la somme des connaissances, ni de formuler un jugement.

Les choses trop nombreuses, passant trop vite, les foules mouvantes, ne peuvent être vues dans leurs détails, elles laissent dans la mémoire des souvenirs d'ensemble, où rien ne se dessine avec précision, et il faut qu'un incident particulier attire l'attention et retienne le regard pour qu'on puisse conserver au milieu du tableau confus gardé dans la mémoire un souvenir précis. Il n'est possible, en effet, de ne bien voir qu'un objet à la fois et de ne voir nettement qu'un point de cet objet.

L'homme d'action, dont nous avons déjà donné quelques traits de caractère, comme l'homme supérieur, dont la culture, l'éducation, l'hérédité, mais surtout la connaissance

acquise de l'âme humaine, peuvent sans effort, naturellement, poser leur regard fixe, soutenu, pénétrant, pendant un
temps relativement long montrant par là qu'ils sont capables
d'apporter dans l'action toute l'énergie propre à la réalisation de leurs volontés et à soumettre à leur influence les
autres hommes.

De nombreux individus se sont demandé, en voyant le
prestige dont s'entoure la présence de l'homme supérieur et
des possibilités qu'il lui confère, si, par un processus psychologique convenable il ne leur serait pas possible d'acquérir également une aussi forte supériorité. Sans prétendre
transformer d'une manière profonde la nature individuelle,
nous pouvons espérer, au moyen des conseils et des suggestions contenues dans le présent ouvrage, mettre tout homme
le désirant fortement et pour des motifs honorables, sur le
chemin conduisant à la supériorité, qualité se résumant au
fond dans la grande influence qu'il faut savoir exercer sur
les autres hommes et dans laquelle le regard joue un rôle
de premier plan. Mais ce serait une erreur de croire qu'il est
suffisant de savoir exercer cette influence si, à côté d'elle et
pour l'étayer, l'on ne possède un sérieux et solide fond de
culture générale. En admettant qu'on ait réussi à influencer
quelqu'un et à se rendre sympathique envers lui, l'influence
ne subsistera qu'autant qu'elle permettra de laisser deviner
ou de faire ressortir la valeur des connaissances qu'on a su
acquérir.

Un grand nombre d'hommes, en présence de certains d'entre eux, assez rares à vrai dire, dont l'influence se fait sentir
par le rayonnement magnétique de leur regard, font preuve
d'une soumission immédiate et s'effacent pour leur laisser le

pouvoir et la responsabilité qu'ils hésitent à prendre eux-mêmes.

L'influence du regard possède un caractère profondément mystérieux, dont l'explication demeure toujours incomplète. Certains individus donnent, par leur regard, l'impression de posséder une supériorité réelle, toute mentale et intellectuelle, aussi s'imposent-ils sans efforts à leurs semblables et les soumettent-ils, sans le vouloir spécialement, à leur autorité.

L'impression de supériorité émanant du regard est presque toujours confirmée par la réalité des faits. Mais, en général, les hommes supérieurs, en dehors de l'intimité, ne prodiguent pas leur sourire ; ils ont un air décidé, tempéré par une réserve prudente, ne les empêchant nullement, dans leurs paroles comme dans leurs actes, d'aller droit au but. Mais c'est dans le monde politique, dans le monde des affaires et dans les sphères de la haute technicité industrielle qu'un homme supérieur se reconnaît rapidement et d'autant mieux que tout en lui contraste avec le comportement des gens dans l'ambiance desquels il vit, et souvent peuplée de nombreux individus moyens et de prétentieuses médiocrités. Dans les discussions orageuses, au sein des conseils d'administration ou dans les arènes politiques, l'arrivée soudaine d'un homme au regard magnétique calme immédiatement les passions ; un silence respectueux s'établit dans l'attente de paroles sérieuses ou décisives qu'il va prononcer et, lorsqu'on est amené à discuter à nouveau, on le fait avec mesure et décence car l'on sait qu'en réponse à tout écart de langage, il n'est jamais à court d'arguments pour, en quelques mots brefs, appuyés par son regard, ramener les gens au sentiment des convenances.

L'étude de la psycho-physiologie permet de comprendre les origines de la supériorité chez l'homme et de savoir de quels éléments elle est formée ; la psychologie appliquée enseigne également comment acquérir ces éléments, et en particulier le regard magnétique, au moyen d'une éducation appropriée.

Nous avons démontré le rôle primordial de la vue, affirmé depuis toujours, en raison de la nécessité pour l'homme de se mettre en rapport constant avec ses semblables et avec toute la nature. Dès leurs origines, les hommes ont été conduits à s'observer entre eux, afin de reconnaître les intentions de chacun et en particulier celles ayant un caractère d'hostilité. Les hommes furent donc contraints à une lutte constante, non seulement contre les éléments et les fauves, mais encore contre certains individus de leur espèce, et à l'époque actuelle il en est toujours ainsi. Sous peine de subir de gros préjudices visant sa sécurité matérielle et morale, l'homme dans la vie est astreint à une vigilance constante, et il l'exerce avec une efficacité d'autant plus grande qu'il est mieux doué du côté de la vision et de la puissance du regard.

L'on verra dans un prochain chapitre comment l'action combinée de l'attention, du désir et surtout du regard, permet d'appliquer l'influence mentale personnelle à des individus avec lesquels on se trouve en rapport et dont on désire obtenir une décision, un consentement conforme à l'accomplissement de desseins bien définis.

CHAPITRE III

LES EXPRESSIONS DU REGARD

Les yeux sont constamment le siège d'une action réciproque. S'ils sont faits pour voir, ils sont placés pour être vus. La rencontre de deux individus est aussi la rencontre de deux regards également interrogateurs. C'est dans les yeux qu'on cherche d'instinct à lire, à deviner les pensées, l'état d'esprit, les intentions des personnes en présence desquelles on se trouve, car dans les yeux apparaît le reflet de la vie intérieure, des sentiments, des passions, les marques d'approbation ou de réprobation, l'attraction ou la répulsion, le chagrin, l'ironie, la droiture ou la fourberie. Les yeux parlent et il faut être bien fort en dissimulation pour cacher au psychologue et au physionomiste avertis le vrai caractère du regard. Lorsque l'homme est en proie à un vif sentiment, à une agitation intérieure intense, il lui est très difficile de déguiser un regard d'envie, de jalousie, de haine et quelquefois de pitié, de tristesse, même de joie ou d'enthousiasme.

L'œil donne la vie au visage, et la multiplicité des expressions est due moins à l'œil lui-même qu'aux mouvements de ses annexes, muscles et membranes dont il est entouré. Le

visage tout entier est mobile et traduit les réactions instinc-
tives de l'être et ses états d'âme, mais sans le regard, tous
les réflexes animant la physionomie sont sans chaleur, sans
expression.

Le regard est le principal agent de formation de la première impression qu'on ressent en présence d'une personne
inconnue. Cette impression se modifie souvent, lorsque cette
personne se met à parler, mais bien souvent aussi, les effets
produits par un regard effronté ou cynique, par un regard
fuyant ou distrait, par un regard doux ou caressant, ne sont
jamais détruits par les rapports subséquents qu'on peut entretenir avec la personne intéressée, mais au contraire, ils
sont confirmés ou même renforcés. Les réflexes inconscients
de la physionomie et la parole sont appuyés par le regard et,
lorsque l'art ou le métier cherchent, au théâtre ou au tribu-
nal, à émouvoir un public par des moyens artificiels, c'est
par des mouvements voulus et calculés de la physionomie et
des gestes dominés par les jeux du regard qu'ils y parvien-
nent.

Les simulateurs et les dissimulateurs savent d'instinct prendre l'attitude, l'expression et le regard appropriés à l'extériorisation de leurs faux sentiments, mais, pour qui sait
fouiller et analyser le regard, aucune tromperie n'est possible. Certains hommes sont doués d'un regard « vous vrillant
jusqu'à l'âme », ayant un pouvoir scrutateur extraordinaire
et devant lequel tous les artifices, toutes les comédies s'exercent vainement. Le regard de Napoléon, passé de l'histoire
à la légende, avait une telle puissance de pénétration qu'il
était très difficile de lui résister, et, lorsqu'il fixait un de ses
soldats, celui-ci, sans peur dans le feu des batailles, se met-

tait à trembler de tous ses membres, non de crainte, mais d'émotion.

*
* *

La forme extérieure et les dimensions de l'œil ont sur le regard une certaine influence. Si les grands yeux présentent un caractère artistique marqué, s'ils sont plus « photogéniques », ils ne sont pas forcément les plus expressifs. Des yeux de format un peu réduit pétillent, presque toujours, d'intelligence et, lorsqu'ils regardent un peu obliquement, ils dégagent, parfois, une réelle impression de délicieuse malice.

Les grands yeux, bien ouverts, frangés de cils longs et fournis, aux paupières pures, ni plissées, ni ridées, présentent un séduisant attrait, mais bien souvent fournissent des regards sans chaleur et sans vie, et on les désigne, irrévérencieusement, pour leur grande fixité, et en exagérant un peu, sous le nom d'*yeux de mannequin*.

Les races humaines présentent des variétés nombreuses d'yeux différemment ouverts et colorés, dont les expressions se ressentent du climat et, pour beaucoup, de la vie spirituelle, du mysticisme ancestral, même chez les peuples les plus évolués.

Au cours du séjour des troupes américaines en France, à l'occasion de la guerre, dont le monde entier ressentira longtemps les méfaits, la femme française a eu le don, paraît-il, d'impressionner profondément par son regard la majorité des soldats des Etats-Unis. Un journal du soir de Paris a publié, en effet, à la date du 6 octobre 1945, une dépêche fort suggestive d'Amérique, dont nous donnons la teneur, accompagnée de quelques commentaires du journaliste français.

« New York, 5 octobre. — Pour garder nos hommes qui reviennent d'Europe, il nous faut avoir le « french look » (le regard français) dont ils ont la nostalgie. Tel est le cri de guerre de la femme américaine.

« Le plus grand magazine illustré des Etats-Unis, *Life,* a consacré six pages à ce problème, écrivant notamment :

« Depuis toujours, les hommes s'accordent à trouver la « Française la plus attrayante des femmes européennes. De- « puis un an, et pour le plus grand souci de leurs épouses « et de leurs fiancées, les Américains ont eu l'occasion de « vérifier cette opinion. L'Américain a constaté que le re- « gard de la Française diffère de celui de l'Américaine. Il « est plus sensuel, plus charmeur et plus candide à la fois. »

« Cette flatteuse appréciation est suivie d'une étude dé- taillée de tous les charmes physiques et moraux de la femme française, avec illustrations à l'appui.

« En tout cas, depuis cet article, le « regard français » fait fureur. Tous les magazines de beauté et de mode (et Dieu sait s'il y en a aux Etats-Unis !) lancent des leçons de « french look » par correspondance ; les journaux publient des « confessions », racontent des expériences parisiennes de G. I. Et les instituts de beauté, les écoles de charme, qui foisonnent à travers le pays, ont ouvert des cours spéciaux. »

Peut-être qu'à cause de tout cela, un jour, on ne comprendra plus la phrase par laquelle s'ouvrait une étude fameuse de Jacques Françalès sur la femme américaine : « Elle a de grands yeux, mais elle n'a pas de regard. »

L'on ne peut, en outre, s'empêcher de faire ici un rapprochement avec la réputation qu'avait en France « l'œil américain ». Posséder cet œil, dont l'acuité théorique était extrême, les facultés d'analyse et de discernement extraordinaires, le pouvoir d'évaluation, d'appréciation, d'estimation des hommes et des choses quasi fabuleux, était une fortune physiologique inestimable permettant de comprendre comment dans le Nouveau Monde tant de gens, si l'on en croit la légende, grâce à cet œil bénéfique, arrivaient à l'autre fortune, celle des dollars.

Mais comme un destin étrange semble avoir lié pour toujours, malgré la distance, la différence de langue et la politique, les peuples américain et français par une commune sensibilité, il s'établit fréquemment, par-dessus l'Atlantique, de curieux phénomènes de résonance. A l'œil américain répond maintenant le « french look : c'est un juste retour des choses, dont les conséquences sont faciles à prévoir pour qui connaît l'Amérique et les Américaines : un afflux de nombreux voyageurs venant en France pour constater la réalité du regard féminin français et en faire des copies d'après nature.

*
**

Il faut avoir pratiqué longuement le portrait en photographie, pour connaître toutes les difficultés qu'il y a à faire « parler » des yeux très beaux, mais froids, à leur faire traduire l'existence de la pensée agissante, à nuancer le regard avec naturel pour obtenir une expression agréable, non contrainte et habituelle du sujet. Dans un portrait, la personne représentée étant immobile, il convient de ne pas exagérer l'ouverture de l'angle fait par la tête par rapport aux épaules, afin de ne pas donner l'impression qu'elle fait des mouvements incompatibles avec la position de repos. La direction du regard doit également concorder avec la position de la tête et, si le plan du visage est oblique par rapport à l'objectif, la mise au point ne permet pas d'obtenir la même netteté pour les deux yeux ; l'on met donc au point exactement sur l'œil le plus voisin de l'objectif, et l'autre apparaît comme l'étant également.

L'expression naturelle se réalise en donnant au regard une direction en rapport avec la position de la face, la tête étant un peu tournée à gauche, par exemple, les yeux sont tournés à gauche également et même un peu plus. Il ne conviendrait pas de faire tourner les yeux à droite, car l'expression en résultant ne serait pas en faveur du sujet, dont le regard prendrait l'aspect peu sympathique de la défiance, de la fourberie ou de la crainte excessive.

Pour qu'un portrait présente un regard permettant de se faire une opinion sur la psychologie supposée du sujet, il doit être pris de face, les yeux fixant posément l'objectif, dont ils doivent être séparés par une distance assez grande, afin de maintenir aux rayons visuels le plus grand parallélisme possible, évitant ainsi une convergence donnant l'impression de l'existence d'un certain strabisme chez le sujet. D'ailleurs, dans la conversation, les interlocuteurs se font face, les yeux dans les yeux, afin de mieux se comprendre, de mieux se communiquer leurs pensées. La pose normale dans un portrait est donc d'offrir une pleine vue de face, bien qu'au point de vue artistique, une telle disposition puisse être discutée. Mais au point de vue psychologique, il en est tout autrement. Lorsque, en effet, le sujet regarde parfaitement l'objectif, l'objectif est donc le point de vue dont, dans la vision de l'image, la personne regardant le portrait prend la place ;

il s'ensuit qu'elle a l'impression très nette d'être regardée fixement par le sujet, et même lorsque cette image n'est plus exactement en face de la personne, l'image continue toujours à la regarder. Le caractère apparent, sinon réel, du regard, ne peut se découvrir que par sa fixation vers les yeux de l'examinateur et l'étude sur photographie est souvent révélatrice de grandes vérités.

L'étude scientifique du portrait est extrêmement féconde en enseignement psychologique, mais nous ne pouvons la développer ici sans sortir du cadre de notre sujet. Nous pouvons dire, toutefois, en nous plaçant sur un autre terrain, qu'une photographie représentant une personne « conserve des rapports certains avec cette personne. Un portrait peut être considéré comme une cristallisation de toutes les caractéristiques du sujet et même peut-être de toutes caractéristiques mentales. » Nous disons, en outre, dans *La Photo pour Tous* de janvier 1939 : « La photographie d'une personne, même prise depuis longtemps, à une époque où elle était en parfaite santé, permet de discerner une modification actuelle de son état physiologique, de reconnaître l'évolution d'une maladie survenue après la prise de cette photographie ; c'est là, en dépit de toute explication satisfaisante, un *fait très réel,* confondant quelque peu l'imagination. »[1]

L'on conçoit donc combien la partie la plus vivante du portrait, les yeux, dans le regard qu'ils fournissent, doit être riche de possibilités révélatrices ; si, en effet, les yeux parlent,

---

1. Antoine LUZY. — *Photographie et radiesthésie.* « Photo pour Tous » de janvier 1939, page 5.

suivant l'art, quelles choses ne peuvent-ils pas dire, dans l'opération radiesthésique ?

*
**

Indépendamment de sa fonction visuelle, l'œil, par le regard, est un agent très actif de l'influence qu'un individu peut chercher à exercer sur un ou plusieurs autres. Il s'ensuit qu'étudier son regard est une opération qu'accomplissent fréquemment ceux dont la profession ou les buts font du regard un moyen d'action. De là à combiner, en dehors des réflexes instinctifs de la physionomie, des jeux d'expressions, des mouvements d'yeux divers plus ou moins suggestifs, des modifications de leur aspect naturel par des maquillages plus ou moins habiles, de leur éclat par des collyres appropriés, il n'y a qu'un pas, d'autant plus facilement franchi qu'on trouve dans des maisons spéciales tout un approvisionnement de produits dont certaines femmes, parmi lesquelles les courtisanes, ayant dans le regard un de leurs plus puissants moyens de séduction, en font un usage permanent. Toute une technique, si l'on peut s'exprimer ainsi, s'est créée pour rendre l'œil plus séduisant, plus attractif, pour rendre le regard plus ardent, plus pénétrant, plus invitant. Nous donnons ici, extraits des conseils de beauté parus dans l'agenda d'un grand magasin, les suggestions suivantes : « Le maquillage des yeux est peut-être le plus difficile à réussir. Il faut procéder avec une délicatesse extrême. Je déconseille absolument les crayons noirs, qui ne correspondent pas aux nuances naturelles et donnent au visage un air fatigué et souffrant. En estompant légèrement les paupières avec un mastic bleu-vert, les blondes donneront de la profondeur et du charme à leur regard. Les brunes répéteront la même opération, en substituant au mastic bleu-vert la nuance bleue plus foncée. » Nous nous sommes demandé vainement en quoi le bleu-vert et le bleu foncé correspondaient aux nuances naturelles de la carnation féminine. Mais, en matière de beauté artificielle, l'art pur est inopérant, tout appartient au domaine de l'interprétation, dans lequel se heurtent les plus ébouriffantes fantaisies.

Voici un spécimen de traitement plus scientifique (!) de l'œil pour en accentuer le pouvoir séducteur et extrait d'un traité de médecine, lequel est un, catalogue des spécialités d'un médecin-pharmacien : « Collyre X... pour embellir les yeux et rehausser leur éclat gracieux. Le collyre X... rend le globe de l'œil bien pur et les paupières grandes ouvertes. Il efface la fatigue des traits tirés et les bouffissures. Tonique et bienfaisant à la vue, son action est d'un effet surprenant. Il donne à la prunelle une animation et un brillant incomparables, rend le regard limpide. Il agrandit les yeux, les paupières deviennent fermes, unies, les yeux clairs et brillants. Le collyre X... donne au yeux une expression magnifique. Le regard acquiert de la grâce et du charme. Le résultat est immédiat et sans aucun danger. »

Nous ajoutons qu'un tel produit est d'ailleurs employé par des clients des deux sexes, certains mâles ayant quelquefois besoin de s'efféminer un peu, mais n'insistons pas.

En dehors des raisons appartenant à une esthétique douteuse, la beauté naturelle de l'œil s'entretient par des moyens très simples, dépendant de l'hygiène journalière ; seules les causes d'origine morbide affectant son aspect ou son fonctionnement doivent être combattues par des moyens médicaux. L'œil malade n'émet plus qu'un regard sans vigueur, sans assurance et dont l'émission a presque toujours lieu au prix d'une certaine fatigue visuelle.

Le surmenage imposé aux yeux, quelle qu'en soit la cause, amène la destruction ou, tout au moins, l'affaiblissement du regard : il devient trouble et sans expression, sans beauté et sans puissance. La principale cause de fatigue visuelle réside dans l'exécution de travaux d'application, en présence d'un éclairage insuffisant. La lecture, l'écriture, le dessin, la couture, nécessitent un effort d'attention soutenu, lequel devient très pénible lorsque les yeux sont astreints à voir dans une demi-lumière. Il ne faut jamais craindre de voir trop clair, mais à condition que les rayons venant de la source lumineuse ne frappent pas directement les yeux.

Durant certaines maladies, pendant la fièvre, le regard prend une intensité remarquable : l'œil devient brillant, interrogateur. Dans d'autres maladies, au contraire, l'œil devient atone, le regard s'éteint, mais avec le retour à la santé tout rentre dans l'ordre, l'œil et le regard redeviennent normaux.

*
* *

L'expression du regard est profondément affectée par la configuration du visage. En général, les figures humaines sont conformées d'une manière très éloignée de la beauté classique. L'on voit, en effet, bien souvent, des visages trop allongés ou trop aplatis ; les fronts sont trop hauts ou trop bas, saillants ou rentrants. Les nez sont trop gros, ou trop courts, aquilins ou concaves, minces ou épatés, retroussés parfois en pied de marmite ; les yeux sont profondément enfoncés dans l'orbite, d'autres sont saillants ou bien étroits, petits, comme ceux de certains animaux, d'autres sont ouverts tout ronds, découvrant tout le cristallin. Les sourcils sont ou bien trop haut placés, ou bien trop bas, tombant sur les yeux. Les bouches sont souvent trop grandes, aux lèvres trop minces ou trop épaisses, déformées par un disgracieux rictus. Les mentons sont fuyants ou en galoche, et certains profils ont une forme nettement zoologique.

Les réactions de l'âme ne sont pas seulement traduites dans le regard, elles sont exprimées également par le jeu des muscles du visage. La répétition des pulsations émotives ont leurs réflexes dans ces muscles, lesquels réflexes finissent par générer des expressions permanentes. Ces expressions dépendent du caractère, des tendances de l'individu, et en fournissent comme une image visible. Si l'individu a le fond gai ou triste, généreux ou égoïste, colérique ou paisible, cette image fait ressortir ses caractéristiques. Mais le regard seul a le pouvoir d'illuminer ou de rendre vivantes toutes ces expressions. Dans la mobilité des yeux et des sourcils se distinguent les passions humaines et les mouvements de l'âme. La bouche elle-même, par le jeu des lèvres, participe à l'expression des sentiments, mais il appartient aux yeux, par le dynamisme du regard, d'en faire sentir la profondeur et l'intensité. Nous donnons ici quelques croquis schématiques, caractérisant différentes dispositions des yeux, dans des circonstances diverses déterminant l'expression du regard.

La figure 1 représente un regard calme, droit, serein ; les cristallins sont bien centrés, tout respire l'équilibre naturel

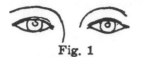

Fig. 1

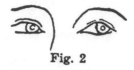

Fig. 2

Fig. 3

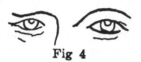

Fig 4

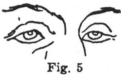

Fig. 5

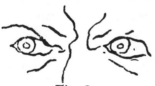

Fig. 6

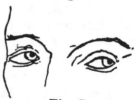

Fig. 7

Fig. 8

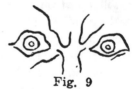

Fig. 9

Fig. 10

Fig. 11

obtenu sans effort. La figure 2 montre un regard doux, un peu penché, digne de tendresse, surtout chez la femme. Sur la figure 3, l'œil, largement ouvert, donne une impression de franchise et l'absence totale de dissimulation. Sur la figure 4, on sent un regard calme empreint de réflexion ; c'est le regard des gens posés et des hommes d'action. La figure 5 représente le regard prudent, la paupière faiblement baissée indique la réflexion sensée. La figure 6 montre le regard triste, les paupières tirées en bas latéralement suivent le mouvement des muscles de la face contractés par l'émotion. L'on voit sur la figure 7 un regard oblique, indiquant, malgré son apparence de douceur, la méfiance. Le regard représenté sur la figure 8 indique l'horreur, la répulsion, par la contraction instinctive des muscles annexes de l'œil. La figure 9 montre le regard diabolique, méchant, qu'on voit parfois dans la colère chez certains individus ne sachant pas se dominer. Sur la figure 10, le regard exprime l'étonnement, la surprise, l'œil s'ouvre un peu vers le haut et le cristallin reste fixé au centre. Enfin, sur la figure 11, est caractérisé le regard de la rêverie teintée de mélancolie ; le front est un peu penché, la ride interrogative un peu esquissée vers la racine du nez.

L'examen attentif des diverses figures montre comment un faible déplacement du cristallin et des petits mouvements des annexes de l'œil, accompagnés de légers changements de position de la tête, peuvent donner une infinité d'expressions correspondant à toutes les nuances des sentiments et des états d'âme.

En l'absence d'une certaine activité sentimentale et émotionnelle, le regard se présente à l'état naturel, dépendant du calme intellectuel et psychique de l'individu, mais il reste sous la dépendance de l'expression innée ou acquise de l'œil et de la conformation du visage. La coloration de l'iris joue un rôle important dans l'expression du regard. L'iris est la terminaison de la coroïde en avant de l'œil et donne à l'œil sa couleur : noir, brun, riche en pigments, bleu, vert ou gris. L'iris des albinos ne contient aucun pigment, et le sang circulant dans les petits vaisseaux lui donne sa teinte rosée. Les yeux vairons contiennent une inégale répartition de pigments et ont, par suite, une coloration irrégulière et différente pour les deux yeux.

L'on attribue à la coloration des yeux certains rapports avec le caractère des individus, mais nullement vérifiés par l'expérience. Cette coloration est presque toujours due à l'origine ethnique de leur possesseur et à l'influence du climat dans lequel les races se sont développées. Les yeux noirs et bruns appartiennent aux pays chauds, et les yeux bleus, verts ou gris aux climats froids. Mais l'hérédité intervient souvent et prédomine en dépit du climat, du lieu où naissent les individus, pour donner à leurs yeux la couleur de ceux de leurs parents, ou une teinte moyenne entre ceux du père et ceux de la mère.

*
**

Certaines expressions des yeux demeurent inoubliables, surtout dans la douleur. C'est par le regard, laissant pressentir les pleurs contenus, qu'on est, dans certaines circonstances le plus ébranlé. Nous avons vu des individus plaider longuement en faveur d'une requête, devant des hommes froids par profession ; invoquer les raisons les meilleures, se servir des arguments les plus solides et, devant l'insuccès apparent de leur éloquence, le désespoir montait soudain dans leur regard, leurs yeux humides exprimaient toute leur souffrance intérieure et il suffisait de l'attendrissement de l'un des auditeurs pour emporter brusquement la décision favorable de tous. Le regard du solliciteur avait été le plus puissant des arguments, car il exprimait des choses qu'aucun langage parlé ne peut traduire, mais que le cœur sent et comprend ; le cœur a ses raisons que la raison ne comprend pas, et seul le regard est capable de les traduire. Il y a dans certaines circonstances critiques de nombreuses paroles qu'on oublie, mais certains regards ne s'oublient jamais.

Victor Hugo, dans *La Légende des Siècles,* présente Caïn fuyant après le meurtre d'Abel, poursuivi par un œil, image poétique de la conscience ; mais là où le poète ne voit qu'une image, le psychologue voit le souvenir inefffaçable d'un regard, du regard de la victime fixant le meurtrier. Abel aimait son frère et lorsque, frappé à mort par Caïn, auteur du premier crime humain, Abel mourant mit dans son dernier regard tout son amour, toute sa souffrance, toute la puissance d'un affectueux reproche, tous les éléments d'un remords dont devait mourir le meurtrier. Le regard d'Abel est resté dans l'œil imaginé par le poète et a pris la forme d'une image mentale permanente dans l'esprit de Caïn.

Lorsque l'âme est apaisée, le visage humain exprime dans toutes ses parties la sérénité la plus parfaite, leur ensemble, comme dit Buffon, marque la douce harmonie des pensées et répond au calme intérieur. Quand l'âme est troublée, en proie à l'agitation, la physionomie s'anime et les passions, les sentiments, sont traduits avec des nuances infinies et une ordente et quelquefois tragique énergie. Chaque remous de l'âme est rendu par un prompt réflexe inconscient précédant la réflexion et l'action de la volonté.

Mais si le visage inscrit par ses contractions diverses les plus secrètes terreurs, comme les plus secrètes joies, c'est surtout dans les yeux qu'elles se montrent et qu'on peut les distinguer. Les yeux sont, peut-on dire, le prolongement de l'âme ; ce sont les fenêtres par lesquelles l'âme regarde le monde. « L'œil, dit encore Buffon, appartient à l'âme plus qu'aucun autre organe ; il semble y toucher et participer à tous ses mouvements ; il en exprime les passions les plus vives et les émotions les plus tumultueuses, comme les mouvements les plus doux et les sentiments les plus délicats ; il les rend dans toute leur force, dans toute leur pureté, tels qu'ils viennent de naître ; il les transmet par des traits rapides qui portent dans une autre âme le feu, l'action, l'image de celle dont ils parlent. L'œil reçoit et réfléchit en même temps la lumière de la pensée et la chaleur du sentiment ; c'est le sens de l'esprit et la langue de l'intelligence. »

CHAPITRE IV

LE REGARD
ET L'INFLUENCE PERSONNELLE

L'on a vu au chapitre II dans quelles conditions psycho-logiques il fallait se placer pour exercer sur d'autres person-nes sa propre influence personnelle, et combien l'attention et le désir étaient des facteurs importants pour l'application efficace de cette influence. L'on a vu également, au chapitre III, comment le regard, par son dynamisme spécial, venait appuyer avec puissance les effets de l'attention et du désir. Mais le regard joue le rôle le plus important dans l'exercice de la suggestion, car il s'agit bien, dans l'emploi des argu-ments dont on se sert pour convaincre et décider quelqu'un, d'une suggestion véritable, qu'on applique aux personnes avec lesquelles on parle, avec lesquelles on discute.

Le regard, pour coordonner son action avec l'action de la pensée transmise par le langage, doit faire l'objet d'une cer-taine éducation, laquelle repose sur un principe extrêmement important : *le regard ne doit jamais représenter un sentiment différent de celui devant logiquement découler de la pensée*

*qu'on exprime et, à plus forte raison, être contraire à cette
pensée.*

Il n'est pas rare, en effet, au cours d'une conversation,
d'une discussion, d'être assailli par des pensées très étrangères au sujet dont on parle ; ces pensées, amenées par la mémoire inconsciente, par de brusques associations d'idées sur-
gies de l'évocation de tel ou tel fait, de telle ou telle circonstance, détermine automatiquement des changements d'expressions dans le regard, lequel paraît manquer alors de l'assurance nécessaire, de la conviction indispensable pour impressionner l'auditeur en faveur de la thèse qu'on soutient et, s'il
est hésitant, il se ressaisit aussitôt et c'est bien en vain qu'on
cherche, mais un peu tard, à faire naître dans son esprit la
conviction espérée.

Il convient donc, pour maintenir au regard toute sa puissance psychologique et conformément aux idées qu'on développe, d'être tout entier à l'exposition de ces idées et, pour
y parvenir, *il faut s'écouter et s'entendre parler ;* c'est le
moyen le meilleur pour ne pas s'écarter inutilement du sujet
débattu, mais sans laisser deviner, toutefois, qu'on suit soi-
même ses propres paroles, car l'on détruirait ainsi l'impression de spontanéité et d'improvisation, toujours agréable à
l'auditeur, laquelle enlève au langage l'apparence de traduire
des conceptions basées sur des calculs trop intéressés ou des
développements étudiés à l'avance.

L'influence personnelle est une propriété inhérente à la
nature de l'homme. Chaque individu possède en lui-même les
éléments psychologiques et mentaux propres à influencer ses
semblables, mais tous ne les possèdent pas au même degré.
Les uns en sont fortement doués, les autres en possèdent

moins, cependant il est possible de cultiver et de développer le pouvoir d'influence, comme on cultive et on développe toutes les aptitudes naturelles, qu'on peut même acquérir lorsqu'on ne les possède pas. L'éducation, la culture de l'esprit, les exercices d'intelligence, certaines études spéciales, comme celle de la psycho-physiologie, et un ardent désir de réussir, conduisent d'une manière certaine à la maîtrise de l'influence personnelle. Et lorsqu'on sent combien, en parlant à ses égaux, cette influence amène de sympathie sur soi-même, combien l'on est écouté avec intérêt, l'on prend naturellement une assurance, une confiance en soi de plus en plus forte et l'on ne redoute plus de s'adresser à des personnes d'un rang quelconque dans la hiérarchie sociale.

Mais, pour exercer utilement l'influence personnelle, il faut adopter quelques règles de conduite qu'on devra suivre rigoureusement et dont nous indiquerons les grandes lignes.

Par un consciencieux travail d'introspection, il faut rechercher quels sont les petits défauts, les travers, les manies, dont les manifestations, quelquefois inconscientes, peuvent être désagréables aux autres personnes et, par une attention soutenue et une discipline appropriée, chercher à s'en défaire. Et cela n'est pas toujours bien facile. Pour y parvenir, il faut beaucoup de volonté et de persévérance et ne s'accorder aucune indulgence. Beaucoup d'individus aiment leurs défauts, ou tout au moins, par une trop généreuse faiblesse, les tolèrent et sympathisent avec eux ; ils en font quelquefois un objet de plaisanterie, pour répondre à l'avance aux critiques qu'ils savent mériter et qu'ils craignent de recevoir.

*
**

La valeur, la qualité de l'influence personnelle sont faites d'une quantité assez grande de petits éléments ne faisant pas partie de ce qu'on appelle malicieusement « la civilité puérile et honnête ». Ces éléments sont des principes simples, appartenant à la morale sociale et à la morale tout court et, bien qu'ils semblent par leur élémentaire simplicité être naturellement admis et compris de toutes les personnes raisonnables, l'on peut constater, à regret, qu'un grand nombre d'entre elles semblent, sinon les ignorer, mais du moins ne pas en tenir compte, par indifférence, par faux amour-propre, par orgueil et pour un motif plus grave : le mépris des choses respectables.

Aussi, malgré le scepticisme non affiché, mais souvent professé envers les qualités et les vertus théoriques, rendant les relations avec les autres plus solides et plus agréables et, en raison même de ce scepticisme, nous estimons utile de montrer comment ces vertus et qualités doivent s'exercer.

En parlant à quelqu'un, il faut toujours se montrer très attentif à la conversation, ne jamais interrompre l'interlocuteur, et d'autant moins qu'il se montre plus prolixe ; c'est le moyen de s'en faire un ami si on le désire. Si dans la conversation il se tait, c'est qu'il n'est plus intéressé par ce qu'on lui dit et alors il faut changer de sujet, ou prendre congé, mais ne jamais imposer sa présence plus qu'il n'est nécessaire. Il faut, autant qu'il est possible, éviter de parler de soi-même et faire connaître les difficultés qu'on éprouve, à moins qu'on ne soit en présence d'un ami sincère, dont on vient solliciter un avis, un secours moral ou matériel. Toutefois, il faut s'efforcer de ne chercher le bonheur qu'en soi-même ; il ne faut pas le faire dépendre même des êtres les plus chers, car on ne sait jamais comment peut évoluer une affection, quelle influence elle peut subir. Il faut savoir ne pas se confier, car les confidences, faites dans un moment d'expansion, de confiance, peuvent à un moment donné, dans une période critique, être invoquées contre soi. L'homme vis-à-vis de la femme surtout doit rester très discret. Tout en se montrant sensible à la peine des autres, compréhensif pour leurs souffrances, prêt à les encourager et à les aider, il ne faut donner son amitié qu'après une longue période d'épreuve. Les vrais amis sont rares et il existe des moyens très simples de les reconnaître et, dans les services qu'on peut se plaire à rendre, il faut toujours s'attendre à être payé d'ingratitude ; c'est le meilleur moyen de ne jamais éprouver de déception avec l'amitié.

S'il faut savoir se montrer intéressé par les confidences des autres, il ne faut jamais faire connaître l'opinion qu'on s'en fait, à moins d'y être invité, et surtout ne pas divulguer ce qu'on a entendu. La discrétion est une grande qualité et l'indiscret est, en général, peu estimé. S'intéresser aux belles choses, aux belles actions, éviter les critiques faciles et imprudentes ; se montrer bon, bienveillant, accueillant, généreux, obligeant, permet de gagner l'estime de tous les honnêtes gens. Il est prudent d'éviter les discussions, quel qu'en soit le sujet. Chacun a des idées, des opinions et des croyances auxquelles il tient et auxquelles on ne doit pas s'opposer. Si l'on croit avoir des idées meilleures, il ne faut pas chercher à les faire adopter par la force ; il faut les exposer sous une forme incapable de froisser les susceptibilités des autres. Il est imprudent de prendre parti dans un conflit d'idées, car inévitablement on se fait un ennemi de celui contre qui l'on décide ; comme les souvenirs affectifs sont les plus tenaces, il est bon de ne pas s'aliéner des sympathies, de ne susciter dans la discussion aucune émotion chez autrui, par des remarques, des reproches ou des réflexions désagréables dont, en général, on se souvient mieux que des services rendus. Il ne faut jamais s'exciter, et savoir rester de sang-froid est une grande force, car cela permet de garder les avantages de la conversation pour soi et le calme en impose toujours ; savoir dire une bonne parole au bon moment pour chacun, concilie les sympathies de tous.

En société, il est bon de ne pas s'entretenir de préférence avec les gens ayant la meilleure apparence, mais de montrer de l'intérêt à tous et surtout à ceux semblant le moins favorisés par la nature. Si l'on est sollicité pour exprimer une opinion sur un sujet, il ne faut la donner qu'en connaissance de cause et, si l'on ne connaît pas le sujet, il ne faut pas craindre d'avouer son ignorance ; il vaut mieux, en effet, se taire quand on risque de dire des choses inexactes et peu fondées, pouvant diminuer le crédit qu'on possède auprès des autres personnes.

Lorsqu'on aborde quelqu'un, il faut le saluer avec aisance et distinction. En donnant une poignée de main, il convient de prendre la main tendue avec fermeté, mais sans rudesse, en s'inclinant un peu vers l'autre personne. Ici, l'action du regard est très importante et ne doit pas être négligée. L'on doit regarder l'interlocuteur à la racine du nez, entre les deux yeux, en prenant une expression plaisante, sans permettre aux paupières de battre. Des paupières tremblantes ont toujours de néfastes effets. Le regard doit être franc, assuré, sans avoir une rigide fixité. Avec une personne familière, l'on peut se permettre un sourire, mais non avec une personne d'un rang élevé, ou qu'on ne connaît guère. Les premiers mots qu'on prononce, tout en étant forcément du domaine de la banalité, doivent être dits d'une voix chaude et riche, afin de faire sentir l'intérêt qu'on prend à la personne qu'on aborde.

Si l'on commence soi-même la conversation, il faut parler seulement des sujets capables d'intéresser la ou les personnes qu'on entretient. Si l'on est contredit, il ne faut pas s'en formaliser, surtout si les contradicteurs ont raison, sinon il faut leur opposer d'une manière courtoise des arguments propres à les faire réfléchir et ne jamais afficher un air triomphant lorsqu'on les a convaincus. Il est de très mauvais ton de montrer son savoir, en plaçant dans la conversation des mots peu usités, des termes techniques ou des mots tirés de langues étrangères. Les vrais savants ont, presque toujours, un langage simple, d'où ils savent éliminer tous les mots pouvant ne pas être compris par tout le monde ; ils ne cherchent jamais à éblouir par l'étalage de leurs connaissances et n'en parlent qu'en y étant invités et toujours avec modestie.

Il n'est pas rare, en société, d'entrer en contact avec des gens ne sachant pas se rendre agréables aux autres ; parfois ils cherchent à en imposer, ou bien se montrent autoritaires, égoïstes, vantards ou médisants, et ne tiennent nul compte des sentiments des autres personnes. Ils tirent comme une sorte de vanité de leurs défauts et se croient supérieurs en les affichant, car ils se satisfont d'oser dire ce qu'ils devraient taire. Envers de tels gens, la meilleure ligne de conduite est de se montrer très réservé et de ne donner aucune marque

d'approbation ou de réprobation, et surtout de s'abstenir de
toute discussion avec eux.

Il faut s'astreindre à ne jamais parler trop vite et, dans
la plaisanterie, montrer beaucoup de mesure, c'est faire
preuve de beaucoup d'esprit ; il convient de laisser faire les
individus aimant attirer l'attention par une abondance de
saillies, de calembours, de bons mots et se grisant aisément
de leurs petits succès. Se montrer toujours courtois et poli
est une excellente manière de faire, même envers les personnes n'inspirant qu'une sympathie modérée. L'arrogance,
comme l'adulation, sont des défauts méprisables, il faut bien
éviter de les posséder, il faut éviter également et avec discrétion de se frotter aux gens affectant une fierté hautaine,
ou capables de basses flatteries car, bien souvent, leur contact laisse de cuisantes déceptions.

Quelles que soient les circonstances, il ne faut jamais se
laisser aller à la colère. La colère est, en effet, une sorte de
folie passagère, dans laquelle on peut se livrer à des actes et
prononcer des paroles qu'on est ensuite conduit à regretter.
La colère a toujours comme résultat de diminuer l'estime des
gens pour soi-même, en se montrant sous un aspect peu avan-
tageux. Il faut donc savoir rester maître de son tempérament,
freiner ses mauvaises impulsions et conserver d'une manière
inaltérable et définitive le contrôle de sa personnalité. La
colère a, en outre, une profonde répercussion sur l'organisme ; c'est un agent de destruction des cellules cérébrales,
laissant toujours l'être dans un état plus ou moins profond
de dépression psychique. Savoir garder son calme, en toutes
circonstances, n'est pas un indice de sécheresse de cœur ou
d'indifférence, mais au contraire le signe d'une grande force

d'âme et le calme procure dans les applications de l'influence personnelle d'énormes avantages ; il permet de ne rien laisser deviner des intentions qu'on a sur d'autres personnes ; il dissimule aux yeux des autres les agitations intérieures, les préoccupations, les impressions qu'on éprouve ; il confère, de plus, un prestige extrêmement utile, en ce qu'il prédispose autrui à accorder sa pleine confiance et enfin, dans la conversation, il donne le moyen de faire l'analyse secrète des personnes qu'on a devant soi.

Dans les relations auxquelles les besoins de la vie soumettent les individus, il faut toujours donner l'impression de l'honnêteté absolue, et être honnête, non seulement en apparence, mais en réalité. Dans la défense de ses propres intérêts, il faut savoir se dispenser des actions viles. La justice immanente, en effet, n'est pas une vaine expression ; elle est comme la pesanteur, elle agit constamment. L'homme porte en lui la sanction de ses actes ; chaque chose qu'il accomplit crée un état d'équilibre temporaire, se révoltant tôt ou tard en sa faveur ou en sa défaveur, suivant la qualité de ses actions. Il ne faut pas croire trop fermement à l'oubli ou à l'impunité, car dans la vie tout se paie, et bien souvent les déboires et les chagrins sont la rançon des actions mauvaises. Il est imprudent de se croire au-dessus du destin, les fautes de chacun pouvant, parfois, rejaillir sur sa descendance.

*
**

L'action du regard, dont nous avons déjà dit quelques mots, demande, pour être bien comprise, une explication assez détaillée. Les indications données ici ont une très

grande importance et ont été déduites d'une très longue expérience ; pour en permettre chez le lecteur une assimilation
plus parfaite, nous ne laissons rien dans l'ombre ; des détails
pouvant paraître à première vue superflus ont, dans l'application, un rôle essentiel.

En approchant d'une personne, il convient de la regarder
toujours directement dans les yeux, ou à la racine du nez,
entre les deux yeux. Si l'on est astreint à lui parler longuement, l'on peut déplacer quelque peu le regard autour des
yeux, surtout vers le bas du visage, *mais non ailleurs,* et pendant un temps très court, quelques secondes au plus, pour
revenir aux yeux, ou à la racine du nez et surtout au moment où l'on expose un point important, en vue d'un résultat décisif. Si ce point demande un examen ou entraîne une
discussion, l'interlocuteur, en réfléchissant, a une tendance
toute naturelle à abaisser son regard vers le sol ; il faut en
profiter pour reposer son propre regard, mais il faut aussi
bien saisir le moment où, ayant réfléchi, il relève les yeux
pour le regarder à nouveau à la racine du nez d'une manière
ferme et fixe, en disant s'il y a lieu : « Eh ! bien ? ». Bien
se souvenir qu'un regard manquant d'assurance, timide et
tremblottant, est absolument incapable d'influencer quelqu'un.

Le regard, nous l'avons exposé plus haut, pour être efficace, doit représenter le sentiment animant l'être ; une détermination forte et bien arrêtée donne un regard énergique,
dans lequel le sentiment dirigeant ne doit pas couvrir les
autres sentiments devant, les convenances l'exigent, apparaître
sans équivoque et en rapport avec les circonstances : sentiment de respect, si l'on s'adresse à un supérieur ou à une
personne éminente ou âgée, à une femme d'un rang quelcon-

que ; sentiment d'autorité, de blâme, d'affection, etc. L'on est parfois appelé à exercer sur ses proches une action énergique, pour vaincre certaine résistance s'opposant à l'intérêt bien compris de la famille ; il faut alors avoir un regard à la fois déterminé et affectueux.

En entrant dans un bureau où l'on est reçu en audience par une personnalité pour obtenir d'elle une adhésion, un consentement, à la suite d'une demande qu'on va lui exposer, d'une proposition qu'on va lui faire, en avançant vers elle, il faut la fixer, pour qu'au moment où elle lève la tête pour entendre, son regard soit frappé, saisi par celui de la personne reçue. Il ne faut pas s'avancer en regardant ailleurs, ni en baissant les yeux, l'effet en serait désastreux. Au cours de l'audition, exposer d'une voie claire, forte, persuasive et non hésitante, les causes de la visite, sans lâcher le regard de l'auditeur et en ayant le désir et la ferme résolution de l'influencer d'une manière profonde pour obtenir satisfaction. Une réponse ne peut pas toujours être donnée immédiatement, mais si l'auditeur la promet pour un avenir prochain, il reste sous l'influence du souvenir du demandeur, et même si un obstacle se présentait, il ferait de son mieux pour l'aplanir.

Pour influencer un homme, il ne faut pas laisser échapper son regard au moment où sont émis les arguments décisifs, il ne faut pas qu'il quitte le visiteur des yeux ; si son regard se porte ailleurs, cela lui permet de se dégager de l'influence qu'on exerce sur lui, de réfléchir à ce qu'on lui expose et de trouver des objections. Mais si son regard reste saisi par celui du demandeur, il a bien peu de chances de pouvoir réfléchir et reçoit les arguments qu'on lui prodigue, comme autant de suggestions, et ne peut guère se soustraire à leur emprise.

L'on peut capter l'attention et le regard d'une personne et les ramener s'ils se relâchent, par des procédés plus ou moins artificieux. En présence d'une personne à laquelle on parle, il est à remarquer qu'ayant quitté les yeux de la personne cherchant à l'influencer, si celle-ci, à son tour et d'une manière très ostensible, se met à regarder un objet quelconque, la première personne reporte à nouveau son regard sur la seconde, laquelle doit en profiter immédiatement pour saisir ce regard au moyen du sien plein de détermination et de volonté, en le retenant par des arguments décisifs, avant qu'il ait eu le temps de s'esquiver encore.

Lorsque la situation le permet, et en présence d'une défaillance du regard de la personne à laquelle on parle, on lui présente un document quelconque : photographie, dessin ou objet quel qu'il soit, pouvant avoir un certain rapport avec le sujet de la conversation. Après l'avoir examiné, elle le remet en regardant son interlocuteur. Aussitôt, celui-ci saisit son regard en fixant fortement ses yeux, ou la racine du nez, et exprime les choses qu'il tenait à dire, de manière à les faire pénétrer dans l'esprit de la personne influencée, avant qu'elle ait eu le temps d'en détourner à nouveau son regard.

Nous avons donné, à titre d'exemples seulement, deux moyens de s'imposer à l'attention des gens qu'on désire soumettre à l'influence personnelle, en utilisant les précieuses propriétés du regard ; mais l'on peut en imaginer d'autres. Toutefois, l'action du regard, quand elle est bien dirigée, dispense de recourir à des développements oraux de grande longueur, incompatibles avec le temps dont disposent certaines personnes, et aussi avec leurs dispositions d'humeur. Exposer complètement ce qu'on a à dire, dans des formules brèves et correctes, dispose toujours bien l'auditeur et, s'il juge à propos de prolonger la conversation, c'est une très bonne occasion pour l'influencer avec des chances de succès.

Bien entendu, il faut chercher à influencer seulement les personnes dont on tient à obtenir l'adhésion ou l'intervention mais, dans les relations courantes, il serait ridicule de vouloir influencer tout le monde et la mise en jeu du regard n'y aurait aucune signification. Il pourraît même paraître inconvenant de trop regarder certaines personnes, et cela pourrait les gêner, au point de troubler leur faculté de réfléchir. D'ailleurs, pour soi-même, il est utile de savoir se soustraire au regard des autres quand on a besoin d'examiner à part soi ce qu'on entend dire, de comparer quelques idées. C'est un grand avantage de savoir se libérer à l'avance, de prévenir l'influence pouvant être dirigée par quelqu'un désirant soumettre les autres à sa volonté. L'on peut, en effet, être influencé sans s'en douter, et accomplir des actes comme venant de soi, alors qu'ils ont été suggérés par d'autres. C'est une erreur de croire qu'on est à l'abri de toute influence, car l'on est chaque jour plus ou moins sollicité par une foule de faits, de réflexions entendues, de suggestions reçues et les lois psychologiques relatives aux influences mentales mutuelles entre individus montrent qu'il est impossible de s'y soustraire d'une manière totale.

Si l'on désire exercer une influence de longue durée sur une personne, il faut, pour qu'elle ne puisse s'en apercevoir, qu'elle conserve l'idée d'agir de sa propre initiative, de sa propre volonté. La pratique de l'influence personnelle demande des facultés d'analyse très grandes, car la manière d'opérer doit varier suivant le caractère psychologique des

individus visés. Il n'y a pas deux personnes exactement semblables et la manière d'opérer convenant pour l'une peut ne
pas convenir pour l'autre. Avant d'agir sur une personne, il
faut l'étudier, si l'on en a la possibilité, sinon il faut savoir
établir rapidement un diagnostic psychologique permettant
de l'influencer avec succès.

CHAPITRE V

L'INFLUENCE PERSONNELLE
ET LA SUGGESTION DE PENSÉES

Nous avons exposé les conditions essentielles pour gagner la confiance des personnes avec lesquelles on a l'occasion de se trouver en contact d'une manière accidentelle ou momentanée. Mais il en est d'autres avec lesquelles on est appelé à se rencontrer souvent, et dont on a toujours intérêt à conquérir l'estime, la sympathie et même l'amitié, à plus forte raison faut-il le faire pour les personnes avec lesquelles on est destiné à travailler ou à vivre. Pour y parvenir, il faut d'abord étudier les caractéristiques de ces personnes, afin de pouvoir exercer sur elles sa propre influence personnelle avec toutes les chances de succès, et en agissant seulement sur l'une d'elles.

En mettant à profit les indications données dans les chapitres précédents, il faut chercher à leur plaire en toutes circonstances. Et souvent, dans les conversations qu'on peut avoir avec celle qu'on désire influencer, il faut la regarder entre les deux yeux, comme il a été dit plus haut, et en lui

faisant les suggestions mentales propres à conquérir sa faveur.

Mais ici nous devons nous arrêter un peu sur le caractère
particulier des suggestions servant à étendre et à approfondir
l'action de l'influence personnelle, soutenue par le regard.
La suggestion mentale, comme nous l'avons exposé, se rap-
porte généralement à une sorte d'expérimentation, dans laquelle on agit sur des sujets *consentants* et dans des conditions ne laissant aucun doute sur les intentions de l'opérateur. L'on arrive ainsi à faire faire des mouvements suggérés par la pensée transmise à distance, à des sujets placés
pour être bien observés. Dans la suggestion mentale, l'on ne
s'adresse pas à l'esprit du sujet, on ne cherche à faire naître
en lui aucune idée ; la pensée de l'opérateur vise essentiellement à déterminer des impulsions motrices, donnant naissance à des sensations diverses : fourmillement dans la tête
et dans le membre visé, sentiment de traction sur ce membre,
parfois comme un engourdissement général, vertige, sentiment d'impulsion donné par une force étrangère. Il y a donc
là un état de faits bien caractérisé. Dans la transmission de
pensée, autre forme d'action mentale, le sujet reçoit de l'opérateur des suggestions donnant naissance à des idées et c'est
d'après ces idées qu'il accomplit tel ou tel acte commandé
par la suggestion. La transmission de pensée nécessite un
état hypnotique léger chez le sujet, tenant le milieu entre la
léthargie et le somnambulisme, avec prédominance somnambulique. Les sujets entraînés se placent d'eux-mêmes, automatiquement, dans cet état dès le commencement de l'expérience et, pour le spectateur non prévenu, il paraît être à
l'état normal, à l'état de veille.

Dans l'exercice de l'influence personnelle, les choses se passent d'une manière très différente, l'intention et le désir agissent dans l'esprit de l'opérateur, lors de l'extériorisation de sa pensée, pour la faire pénétrer dans l'esprit de l'auditeur, où elle donne naissance à des idées orientées suivant le désir de l'opérateur. L'action d'influence n'est donc pas de la suggestion mentale dans le sens précédemment défini, c'est plutôt de la *suggestion de pensée à distance*.

La suggestion mentale et la transmission de pensée sont des opérations simples, visant un but d'existence momentanée, alors qu'au contraire, la suggestion de pensée en vue de soumettre une personne à l'influence de l'opérateur, soutenue par l'action du regard, est une opération complexe, tendant à créer un état permanent chez le sujet. Toutefois, l'on peut se préparer à appliquer et à mettre en jeu avec succès l'influence personnelle en se livrant à des exercices fréquents de suggestion mentale et de transmission de pensée. L'intérêt présenté par ces exercices, limités à des expériences de laboratoire, est, certes, très grand, mais ils prennent un intérêt bien plus considérable et une portée pratique réelle, lorsqu'on les considère comme des exercices de formation, des exercices préparatoires d'entraînement à l'application de l'influence personnelle et de la suggestion de pensée.

La complexité de la suggestion de pensée résulte de l'action simultanée de quatre facteurs : le désir, la pensée, le regard et la parole chez l'opérateur ; ces facteurs sont les éléments nécessaires de la propagation de l'influence personnelle et de l'emprise qu'elle accomplit chez l'auditeur.

L'on conçoit donc qu'il existe des difficultés sérieuses pour arriver à coordonner d'une manière parfaite l'action

des quatre facteurs, d'autant plus qu'on se trouve en présence d'un sujet ayant des réactions incessantes, résultant de
l'échange des idées, de ses réflexions, de ses objections et
dépendant de son caractère, de ses tendances, de son amour-
propre, de son éducation et aussi de ses intérêts matériels
et moraux. L'on voit donc la nécessité absolue dans laquelle
on se trouve de ne pas commencer à influencer quelqu'un
sans avoir fait son analyse psychologique, sans avoir discerné ses points faibles et la direction de ses intérêts.

Lorsque l'opérateur, et nous désignons toujours ainsi la
personne désirant exercer son influence, lorsque l'opérateur,
disons-nous, a commencé à agir pour influencer une autre
personne, il doit manœuvrer avec mesure, patience et prudence, et surtout ne rien laisser deviner de ses intentions,
car il peut se trouver en présence d'un esprit très perspicace
et intuitif, envers lequel tout mouvement d'impatience, toute
parole inopportune peuvent réduire à néant ses efforts et
compromettre définitivement le résultat escompté, par la défiance qu'il a suscitée.

*
**

La transmission de l'influence de l'opérateur à une autre
personne est à envisager seulement lorsqu'elle est seule en
face de lui. La présence d'autres personnes forme un obstacle absolu à l'exercice de l'influence et à la coordination de
l'action des facteurs dont elle dépend. Il est évident qu'il est
impossible de diriger dans un sens bien déterminé une conversation, où des idées multiples s'affrontent, émanant de
sources diverses, quelquefois s'opposant mutuellement et

rendant, par cela même, toute concentration de pensée impossible, quelle que soit la pression du désir.

Pour qu'une assistance de plusieurs personnes ne gêne pas l'opérateur, il faut qu'il jouisse auprès d'elles d'un prestige extraordinaire, et qu'elles soient réunies pour examiner avec lui une question déterminée. Il lui est facile alors d'étendre son influence à plusieurs d'entre elles successivement, en raison de la sympathie naturelle préalable dont il bénéficie de leur part. Mais c'est là un cas particulier, ne présentant pas l'intérêt se dégageant du traitement appliqué à un sujet unique, en vue d'un résultat bien défini.

Comme dans les phénomènes de suggestion mentale et de transmission de pensée, dans la suggestion de pensée l'influence se transmet instantanément, quelle que soit la distance séparant l'opérateur du sujet. Mais, dans la suggestion de pensée, rien ne révèle immédiatement l'effet produit sur le sujet. Ce n'est qu'après une conversation plus ou moins longue et parfois à la suite de plusieurs conversations, qu'on est à même de reconnaître l'existence de cet effet, par les signes extérieurs dont il est la cause évidente : manifestation d'une sympathie inhabituelle, plus grande affabilité, plaisir apparent au moment de l'accueil, accord dans les idées, consentement et approbation sans résistance, etc.

Les personnes qu'on désire influencer se trouvant à l'état de veille, sont très aptes à remarquer les jeux de physionomie de l'opérateur et d'autant mieux qu'elles se sentent plus rapidement impressionnées par sa présence, par ses paroles et par son regard. Et c'est ici qu'on peut reconnaître l'utilité de la substitution du désir à la volonté, le désir ne laissant rien transparaître de l'intention de l'opérateur, alors qu'au contraire la volonté produit des raidissements, des contractions visibles jusque dans le jeu de la physionomie.

La transmission efficace de l'influence, nous ne saurions trop le recommander, nécessite un calme spirituel parfait, une clairvoyance très nette du processus à employer et du résultat à obtenir. Quelle que soit l'évolution de la conversation, rien ne doit troubler l'opérateur, même s'il a l'impression très nette de se trouver en face d'une personne cherchant elle-même à l'influencer. La situation pourrait paraître gênante, mais l'opérateur, pour éluder l'influence présumée, doit agir comme si elle n'existait pas, et renforcer discrètement la force de ses arguments et l'acuité de son regard. Si l'on a pu reconnaître dans l'analyse psychique du sujet qu'il est plus particulièrement sensible aux impressions visuelles, auditives ou motrices, il faut parler et procéder de manière à faire jouer ses dispositions naturelles en faveur de l'influence à laquelle on veut le soumettre.

Dans la suggestion mentale, lorsqu'on désire activer les effets de l'influence, en vue d'obtenir une exécution plus rapide des mouvements commandés par l'opérateur, celui-ci, tout en émettant des suggestions, esquisse en lui-même ces mouvements ; il se donne la sensation de les faire lui-même et ses suggestions s'en trouvent renforcées. Dans la suggestion de pensée, comme on espère obtenir une adhésion, une approbation, un consentement, une expression de sympathie, il faut, en suggérant les pensées au sujet, se donner l'impression de voir sur sa physionomie les marques du sentiment qu'on désire faire naître ; cela active en lui l'effet des suggestions, et l'on peut encore, si l'on poursuit un but lointain, la recherche d'un résultat à longue échéance, lorsqu'on

n'est plus en rapport avec le sujet, le soir, par exemple, dans
le calme, l'on consacre quelques instants à se former une
image mentale du sujet, laquelle le représente avec un visage
heureux, portant les marques que qu'on cherche dans la réalité
à faire apparaître. En procédant ainsi, l'on peut, par la pensée, agir télépathiquement sur le sujet, mais l'on crée en soi
des dispositions propres à augmenter l'efficacité des moyens
mis en œuvre pour l'influencer.

$$* \atop * \, *$$

La suggestion de pensée résulte chez l'auditeur, directement ou par voie de conséquence, des déductions, des arguments donnés pendant la conversation, mais encore pendant
des suspensions de la conversation, tout en ayant l'air de réfléchir, l'on peut faire mentalement des suggestions directes.
Il faut saisir toutes les occasions pour prononcer ces suggestions, dont l'efficacité est certaine. Tout en regardant le sujet comme il a été indiqué, l'on peut dire : « Monsieur X...,
il faut que vous m'estimiez, vous aurez confiance en moi,
vous ne pourrez me résister, etc. ». Ces suggestions doivent
contenir uniquement la pensée constituant le désir, et pendant
leur émission, aucune autre pensée étrangère aux suggestions ne doit apparaître dans l'esprit de l'opérateur.

Comme les relâchements de la conversation sont souvent
de courte durée, il convient de trouver des formules suggestives très brèves, prononcées avec détermination et même
avec un peu d'autorité. C'est ainsi qu'une jeune fille désirant
se faire aimer d'un jeune homme, par exemple, tout en le
fixant entre les deux yeux, peut prononcer en elle-même,

avec un désir profond : « Monsieur X..., aimez-moi. » Il ne
faut jamais omettre ou oublier de faire précéder la suggestion du nom de la personne qu'on cherche à influencer ;
l'emploi des mots Monsieur, Madame ou Mademoiselle
n'étant pas nécessaire lorsqu'une grande familiarité existe
entre l'opérateur et le sujet.

Il existe encore d'autres méthodes pour influencer dans
un sens favorable au désir de l'opérateur une personne à laquelle la nature des rapports journaliers ne permet pas d'appliquer la suggestion directe, appuyée par le regard. La nuit,
dans l'obscurité, dans le silence, l'on se place confortable-
ment sur un siège, de manière à ne se sentir nullement gêné,
puis, comme nous l'avons exposé plus haut, il faut, sans
faire aucun effort, se former une image mentale de cette personne et, lorsque cette image semble bien nette, prononcer
les suggestions convenables. Exemple : « Monsieur X..., il
faut que vous me donniez toute votre sympathie ; chaque
fois que vous me verrez, vous m'estimerez davantage ; vous
désirerez ma présence ; vous sentirez que je vous suis nécessaire, etc. ». Cette suggestion de pensée doit être répétée de dix à quinze fois et, comme ici rien ne trouble l'opérateur, rien ne le presse, il a tout le loisir d'arranger ses formules au mieux de ses intentions et de répéter l'expérience
chaque jour. En procédant comme nous venons de l'exposer, même si l'opérateur n'est pas très convaincu au début
de pouvoir influencer quelqu'un, il se soumet à une gymnas-
tique mentale développant de plus en plus ses possibilités
d'influence et sa confiance en lui. Les suggestions qu'il prononce réagissent sur lui-même comme le feraient des auto-
suggestions et, si un jour il s'aperçoit de l'existence, chez la

personne qu'il vise, d'un commencement de résultat favorable, sa confiance dans l'efficacité de son procédé d'influence s'en trouve accrue et il se sent, dès lors, capable d'une persévérance dont il pouvait douter à l'origine de son expérience. Si l'on croit fermement à la possibilité de réaliser une chose ardemment désirée, si l'on persévère dans l'accomplissement des petits efforts faits pour l'obtenir, chacune des entreprises qu'on pourra tenter dans l'avenir se termineront par des résultats heureux.

Les suggestions formulées pour influencer quelqu'un ont donc sur son auteur un effet insoupçonné ; elles sont pour l'opérateur, comme nous venons de le dire, des auto-suggestions le conduisant à adopter lui-même une manière de faire favorable à ses désirs, à ses projets. Sans qu'il s'en doute, il subit la réaction de ses désirs, laquelle le place de plus en plus dans une situation agréable à la personne qu'il cherche à influencer ; il y a donc production inconsciente d'un épiphénomène, d'une action double, dans l'acte de suggestion de pensée, action par conséquent doublement favorable aux vues de l'opérateur.

Si l'on pouvait placer les personnes sur lesquelles on veut agir dans un état hypnotique approprié, les mêmes suggestions qu'on leur fait à l'état de veille seraient reçues sans résistance, instantanément, et l'influence prise sur elles le serait définitivement. En dehors de la présence de ces personnes et à distance, l'influence de l'opérateur, lorsqu'il agit d'une manière rationnelle, suivant nos indications, se fait sentir chez le sujet, sans qu'il puisse soupçonner qu'elle est la cause de ses sensations ; mais comme les suggestions sont reçues d'une manière plus superficielle par le sujet que s'il était en état d'hypnose, il faut persévérer plus longuement pour les faire pénétrer profondément.

Nous avons eu plusieurs fois l'occasion de recevoir les confidences de personnes influencées à distance par notre action personnelle ; la concordance de leurs indications a été pour nous une preuve de la réalité des effets de l'influence. L'une d'elles, notamment, très intelligente, très réservée, même quelque peu distante, vint un jour à notre rencontre avec son plus gracieux sourire et bien contrairement à ses habitudes, connues de tout son entourage. Elle éprouvait depuis quelques jours un besoin croissant de venir nous parler, pour nous demander notre avis sur un travail relatif à un problème scientifique dont elle poursuivait la solution : « Je suis gêné dans mon travail, nous dit-elle, depuis une huitaine de jours, par une sorte de trouble me prenant le soir, de neuf heures et demie à dix heures. Jamais je n'avais ressenti cela. » Et, lui ayant demandé de préciser ce qu'elle ressentait, elle enchaîna : « Cela me prend comme une sorte de frémissement dans les tempes, nullement douloureux, puis vint comme un léger étourdissement sous le front, avec un peu de vertige, cela dure une demi-heure et tout se calme, mais je conserve pendant environ dix minutes un léger trouble visuel. Ce qui est étrange, et je ne sais si je dois vous le révéler, c'est que pendant toute la durée de la crise, je ne cesse de penser à vous. » Une telle révélation, semblable à plusieurs autres, attestait l'efficacité de nos suggestions de pensées et de la transmission de notre influence ; il y avait concordance parfaite entre le moment de la « crise » et l'heure à laquelle nous la déterminions. Mais nous devons ajouter qu'aucun préjudice réel n'a été supporté de notre fait par la personne ayant servi de sujet à notre expérience. La gêne invoquée dans l'accomplissement de ses travaux a été vraiment ressentie, mais sans dommage pour elle, car elle nous a avoué qu'à l'heure où elle se produisait, elle se préparait le plus souvent à se distraire par une lecture, et la raison par elle exposée était un prétexte pour satisfaire le besoin impérieux qu'elle avait eu de nous parler. Plus tard, lorsque liés par une amitié d'autant plus solide qu'elle ne se prodiguait ni d'une part, ni de l'autre, et initiée par nos démonstrations aux phénomènes psychiques, nous lui avons avoué être l'auteur de ses troubles, elle ne manifesta aucun ressentiment ; elle fut même heureuse d'avoir éprouvé des effets d'influence montrant la réalité du phénomène et, guidée par nos conseils, elle en entreprit délibérément l'étude.

La formation des images mentales nécessaire pour agir à distance sur un sujet demande un certain entraînement. Il n'est, certes, pas facile de créer en soi l'isolement indispensable à la venue bien nette de ces images et de leur assurer une stabilité de durée suffisante pour qu'on ait le temps de prononcer toutes les suggestions qu'on destine au sujet. Une autre méthode permet de simplifier l'opération ; elle consiste à employer, lorsque cela est possible, la photographie de la personne qu'on désire influencer et de la substituer aux images mentales[1].

Posée sur une table recouverte d'une feuille de papier de couleur uniforme, ne portant ni impression, ni dessin, la

---

1. Antoine LUZY. — *L'Occultisme en face de la Science et de la Philosophie*, chap. IX (épuisé).

photographie doit être placée en bonne lumière, de façon à pouvoir être regardée longuement sans fatigue pour l'opérateur. D'un format non inférieur au format 9 × 12 de préférence, en buste et prise de face, elle remplace à la fois l'image mentale qu'on pourrait se faire du sujet et le sujet lui-même.

L'opérateur, dans le calme du soir, se place, commodément assis, en face de la photographie, puis plonge son regard dans les yeux du sujet ; ici, il n'est pas nécessaire de fixer le sujet entre les deux yeux, attendu qu'on n'a aucune réaction à redouter de son regard. L'opérateur attend quelques minutes dans l'immobilité, et prononce ensuite ses suggestions sans hâte, mais avec chaleur et conviction ; il peut les exprimer à voix haute, s'il est seul, sans trop élever le timbre et en s'écoutant parler. L'opération peut être prolongée sans inconvénient, mais il est sans intérêt de la faire durer plus d'une demi-heure. Les résultats qu'elle fournit sont identiques à ceux qu'on obtient avec les autres procédés, mais toutefois ils sont moins rapides et moins pénibles à amener.

L'utilisation de la suggestion de pensée n'est pas exclusivement réservée à l'obtention de résultats personnels. On peut la pratiquer en faveur d'autres personnes et les formules suggestives sont alors étudiées en conséquence. Pour faire bénéficier une tierce personne des avantages de l'opération, l'on procède avec ou sans son consentement ; mais, étant donné le caractère secret qu'il convient de conserver à l'exercice de l'influence mentale, l'on doit, au bénéfice d'une autre personne, et si son consentement paraît nécessaire, lui faire connaître la possibilité d'une intervention à son profit, sans lui indiquer comment et par quel moyen elle peut avoir des chances de se produire.

*
**

La mise en jeu de l'activité mentale consciente pour la transmission de l'influence personnelle est, pour une bonne part, sous la dépendance de circonstances météorologiques. Le temps qu'il fait, la température, facilitent ou contrarient la suggestion de pensée. L'approche d'un orage, la trop grande chaleur ou le grand froid sont nuisibles, en ce qu'ils indisposent l'opérateur. Les périodes équinoxiales sont peu favorables aux exercices de transmission mentale. D'ailleurs, toutes les causes faisant sortir l'individu de son état normal : la fatigue, les malaises, les troubles physiologiques divers, rendent inopérantes les manœuvres de l'esprit pour influencer mentalement un autre esprit. Il convient donc de s'abstenir, lorsqu'on ne se sent pas bien dispos d'esprit et de corps.

Avant de chercher à influencer les autres personnes, il est de toute nécessité de savoir se dominer soi-même, de maîtriser totalement les impulsions venant du caractère, de l'état nerveux, des préoccupations, de dépouiller l'esprit au moment où l'on opère, de toute pensée étrangère à l'opération. Un excellent moyen de se préparer à émettre les suggestions, c'est de les rédiger, d'en rechercher la forme la meilleure, la portée psychologique la plus efficace. Les suggestions doivent exprimer avec beaucoup d'exactitude les pensées et les sentiments et l'improvisation n'est pas toujours heureuse dans les expressions qu'elle fait naître. L'effet d'influence obtenu est toujours en rapport avec la définition pré-

cise de ce qu'on désire obtenir, et cette définition doit être
nette, courte, non équivoque et, lorsqu'on écrit au préalable
les formules suggestives, l'on s'aperçoit vite des difficultés
qu'on rencontre pour exprimer clairement ce qu'on pense
et ce qu'il convient de dire. Et, dans toutes les formes de
l'exercice de l'influence, les formules suggestives doivent être
préparées avec les mêmes soins, et l'on peut dire avec les
mêmes précautions.

Lorsqu'on est en présence d'une personne qu'on désire
influencer, l'on peut encore, lorsqu'il n'est pas possible de
la fixer du regard, comme nous l'avons indiqué, utiliser le
regard d'une autre manière. Si, par exemple, cette personne
est occupée et qu'elle parle sans quitter sa besogne des yeux,
il est évident qu'il est impossible de saisir son regard. Il
reste néanmoins à l'opérateur la ressource précieuse, tout en
lui parlant, de lui faire des *passes visuelles*. Ces passes ont
un effet magnétique certain et secondent énergiquement l'action de la suggestion de pensée. Elles consistent, en émettant mentalement les suggestions, à fixer pendant quelques
secondes la partie de la tête du sujet tournée du côté de
l'opérateur, puis d'abaisser *lentement* le regard du point fixé
jusqu'à hauteur du bassin, en évitant de passer sur le bras,
c'est-à-dire en avant ou en arrière du bras, pour agir uniquement par devant sur le visage, sur la poitrine et un peu plus
bas, et par derrière, en partant du sommet de la tête, en
passant sur le cou ou la nuque et ensuite sur le dos, de plus
en plus bas. Les passes se font toujours de haut en bas et il
faut bien éviter de les faire de bas en haut, car l'effet produit serait contraire à l'intention de l'opérateur. Les passes
doivent être fortement imprégnées de son désir exprimé dans

ses suggestions. L'on peut faire dix passes par minute et pendant deux minutes, s'arrêter deux minutes, recommencer ensuite suivant le même processus, autant de fois qu'on le juge utile, ou qu'on a la force de continuer, les passes visuelles étant très fatigantes. Le regard se déplaçant lentement, elles ne peuvent être remarquées du sujet, c'est là un grand avantage, leur emploi, comme toutes les autres pratiques de l'influence personnelle, devant rester secrète.

Il faut se garder rigoureusement de faire connaître, sauf aux rares personnes initiées, qu'on se livre à l'exercice de l'influence personnelle par le regard et la suggestion de pensée. La discrétion absolue est de rigueur, la moindre révélation qu'on pourrait en faire, même si elle était de nature à intéresser quelques personnes peu impressionnables, éveillerait la méfiance des autres et il en résulterait inévitablement des interprétations diverses mais, en général, peu favorables à l'opérateur, dont les intentions donneraient lieu aux hypothèses les moins en rapport avec la réalité des faits. Nous n'avons jamais oublié l'aventure d'un de nos amis, alors jeune présomptueux, se livrant depuis peu aux études psychiques et d'une manière assez inconsidérée à la pratique de l'influence personnelle. Un soir, étant ensemble chez des personnes d'agréable compagnie, mais assez réfractaires aux attraits de tout ce qu'elles considéraient comme des phénomènes magiques, notre ami commit l'imprudence d'exposer qu'il se livrait à des expériences d'hypnotisme et qu'il avait le pouvoir d'influencer à son gré, uniquement par le regard, des personnes quelconques. En disant cela, il ne quittait pas des yeux une charmante jeune fille, dont l'embarras devenait évident. Un silence glacial succéda à sa révélation et, lorsque la conversation reprit, il sentit qu'il avait été terriblement maladroit et il le sentit d'autant mieux qu'aucune des personnes présentes ne lui adressa plus la parole. L'on partit un peu plus tard ; notre ami ne fut plus invité à revenir ; la porte de la maison ne s'ouvrit plus pour lui. A la première occasion, nous tentâmes de prendre sa défense, de le réhabiliter dans l'estime de nos hôtes, mais ce fut en vain. Ils nous firent savoir qu'ils n'aimaient pas les sorciers.

CHAPITRE VI

LE REGARD
DANS LA MISE EN JEU
DE L'ACTIVITÉ MENTALE

L'activité mentale est mise en jeu volontairement dans certaines opérations de l'hypnotisme et dans la recherche radiesthésique. Le regard, dans l'hypnotisme, est à la base de quelques phénomènes et exerce parfois sur le sujet une influence des plus étranges. En radiesthésie, le regard joue un rôle indispensable, mais dans certaines circonstances, l'opérateur doit regarder sans voir, sous peine d'introduire dans la recherche des éléments d'erreur.

Dans l'application du regard aux sujets normaux se prêtant aux expériences de l'hypnotisme, un point reste à élucider : le regard de l'opérateur fixé sur les yeux du sujet, ou plutôt à la racine du nez, entre les deux yeux, agit-il par influence, ou les yeux se comportent-ils simplement comme des points brillants, destinés à amener une fatigue visuelle chez le sujet, déterminant l'hypnose ? Il semble bien, l'opérateur n'ayant au cours de l'hypnose qu'une intention, celle de faire passer le sujet à un état second, qu'il ne fasse, volontairement ou non, aucun effort d'influence visuelle pour l'y amener. Au cours d'une longue pratique de l'hypnotisme, nous ne nous sommes jamais appliqué à influencer nos sujets par le regard, toute notre attention étant portée sur nos suggestions verbales. D'ailleurs, nous avons reconnu, par la suite, l'inutilité du regard et, en raison de la fatigue imposée par sa fixation, nous n'y avions plus recours, nos sujets étant endormis par la fixation d'une bille brillante en acier, montée dans un support en ébonite noire.

Au fond, la question a une certaine importance, et il n'y a pas de raison pour qu'une influence volontairement dégagée par les yeux de l'opérateur, ne puisse agir utilement sur le sujet, pendant l'hypnotisation, comme elle agit sur des sujets en état de veille, dans des conditions définies dans un précédent chapitre. Mais l'action du regard devant être soutenue et renforcée par des suggestions faites mentalement, il devient alors impossible à l'opérateur de faire à voix haute des suggestions pour activer la venue du sommeil, et il en résulte des conditions opératoires plus difficiles et plus fatigantes. Il est donc préférable, dans la mise en état d'hypnose d'un sujet, de négliger l'action magnétique du regard, afin de pouvoir faire des suggestions verbales audibles, dont l'effet est plus rapide et l'efficacité plus profonde, en ce qu'elle permet des variations d'expressions en rapport avec le comportement du sujet et le but de l'opération. Il apparaît pourtant, étant donné l'importance primordiale de la vue dans tous les actes de la vie, et de l'influence incontestable du regard, qu'il est parfaitement logique de l'utiliser chez l'opérateur, pour la production des différents états psychiques réalisés dans l'hypnotisme, mais ce n'est là qu'une apparence subordonnée à la réalisation des résultats qu'on désire obtenir.

Chez le sujet, au contraire, la vue est l'intermédiaire auquel on s'adresse avec le plus de chances de succès, en appliquant à l'œil différents modes d'excitations produites par la fixation d'un objet généralement brillant, par la projection brusque d'un flux de lumière intense, par l'action calmante ou soporifique d'une lumière colorée, bleue de préférence, et enfin par des pressions légères sur les globes oculaires.

L'obtention de l'hypnose par des pressions faibles sur les globes oculaires fait partie des moyens employés pour traiter les hystériques et quelquefois chez les sujets normaux, pour approfondir l'état léthargique obtenu par un autre procédé, mais la pression simple est avantageusement remplacée par un petit mouvement circulaire de l'extrémité des doigts, entraînant une friction très douce de la paupière sur la cornée.

La compression exercée sur un seul des globes oculaires, l'œil ouvert étant soumis à la fixation du regard, permet d'obtenir l'hypnose dissymétrique, c'est-à-dire différente de chaque côté du corps, ou même d'un seul côté du corps. Les actions différentes exercées sur les yeux déterminent des changements remarquables dans la respiration et dans la circulation. La compression du globe oculaire produit un ralentissement du pouls considéré comme un réflexe oculo-cardiaque. Toutefois, malgré la supériorité des actions exercées sur l'organe de la vision pour la formation des états hypnotiques, les autres sens peuvent concourir, dans une certaine mesure, à la production de ces états. Des techniques, variant avec les opérateurs, sont mises en œuvre pour aboutir à des résultats identiques, mais nous ne pouvons, sans sortir du cadre de notre ouvrage, leur consacrer ici aucun développement.

*
* *

Si l'action du regard sur les personnes à l'état de veille présente une réelle efficacité, lorsqu'on agit *avec art* pour les soumettre à l'influence personnelle, sur des sujets en état d'hypnose, en léthargie ou en somnambulisme, cette action est beaucoup plus rapide et plus profonde et présente, lorsqu'on le désire, des propriétés thérapeutiques certaines. En abaissant lentement le regard sur les parties du corps du sujet où il sent quelque chose d'anormal, de la douleur, où se révèlent déjà les symptômes d'un mal en cours d'évolution, l'on arrive à le calmer et quelquefois à le guérir, surtout si l'on seconde l'action du regard par l'imposition des mains, à quelques centimètres de la partie intéressée ; des suggestions appropriées, prononcées avec lenteur, ajoutent également leurs effets à ceux du regard. Les résultats obtenus sont, en général, meilleurs dans les états légers de l'hypnose.

L'influence personnelle appliquée à des sujets placés dans de tels états, toujours avec l'appui du regard, se développe en eux d'une manière étrange, à tel point qu'il faut souvent en modérer l'action par des suggestions antagonistes, prononcées avec mesure. L'influence personnelle est, d'ailleurs, essentiellement liée au perfectionnement du psychisme individuel, lequel est lui-même sous la dépendance d'un entraînement qu'on réalise par la pratique de l'hypnotisme et de la suggestion. En présence d'un sujet dont il veut obtenir des agissements conformes à ses désirs, un opérateur est tenu d'étudier la forme correcte de ses suggestions et de les prononcer avec assurance, conviction, autorité, en les nuançant selon les tendances et les caractéristiques du sujet dont, dans l'hypnose légère, les états de conscience et de personnalité ne sont pas annihilés, et cela explique pourquoi les effets du regard, de l'influence personnelle et de la suggestion sont mieux ressentis et plus durables que dans les états hypnotiques profonds, où rien ne subsiste des caractères de la personnalité du sujet. L'exercice de la suggestion, il faut bien le retenir, donne la confiance en soi, développe le sens du tact et de la mesure, qualités indispensables pour l'entretien des bons rapports qu'on peut avoir avec d'autres personnes.

L'influence bénéfique du regard, comme l'influence maléfique d'ailleurs, n'est pas niable et la thérapeutique sympathique a fourni de nombreux exemples de guérison à l'actif de certains guérisseurs, dont la présence seule et surtout le regard agissent favorablement sur les malades. Dans un autre ouvrage, nous disons : « Pour comprendre l'action d'un guérisseur, il convient de se représenter l'état dans lequel se trouve un malade dans l'attente d'un traitement et dans l'espérance incertaine de sa guérison. C'est un état passif avec relâchement physique et moral, abolition des réactions de la conscience, rendant son esprit capable d'entrer en *résonance* avec celui du guérisseur. Ici, le rôle de la suggestion mentale inconsciente semble prédominer, mais ce n'est pas certain. Il existe, toutefois, chez le malade, un état d'esprit facile à définir : en allant voir un guérisseur ou un médecin, il est sous l'emprise de l'idée qu'ayant opté pour tel praticien, de préférence à tout autre, c'est parce qu'il a foi dans son savoir, dans sa réputation confirmée par des guérisons obtenues chez des personnes connues du malade. Il se présente donc chez ce praticien sous l'influence d'une auto-suggestion le prédisposant à être soulagé ou guéri par le traitement indiqué.

« Un vrai guérisseur agit simplement par sa présence, *par son regard,* par quelques gestes et, parmi beaucoup d'autres, on peut citer les exemples authentiques et probants des guérisseurs Philippe à Lyon et Béziat à Avignonnet, dont les exploits merveilleux sont encore dans toutes les mémoires des hommes mûrs de la génération actuelle. Nous en avons connu plusieurs autres, non moins extraordinaires, mais dont la réputation ne s'était pas étendue, car ils n'avaient jamais bénéficié de la publicité due à une poursuite judiciaire pour exercice illégal de la médecine ; ils opéraient dans leur région, modestement, en jouissant de l'estime générale. »[1]

Des observateurs avertis sont unanimes à reconnaître l'action prépondérante du regard, et l'un d'eux s'exprime ainsi : « Le regard exerce une action magnétique des plus calmantes. On doit laisser tomber doucement son regard sur la partie que l'on magnétise, et on peut avoir la certitude absolue d'augmenter l'efficacité de l'action. Placé au pied du lit d'un malade agité ou fiévreux, en appliquant les mains sur le bas des jambes et en laissant doucement et avec calme

---

1. Antoine LUZY. — *L'Occultisme en face de la Science et de la Philosophie,* chap. XVI (épuisé).

tomber son regard sur la région de l'estomac, on est très étonné du calme et du bien-être produits. » [1]

Bien entendu, l'action calmante du regard est obtenue lorsque l'opérateur a le désir ou l'intention d'amener le calme chez un malade ; mais le contraire peut se réaliser s'il y a intérêt pour la personne traitée à recevoir du regard des radiations excitantes.

*
* *

Parmi les propriétés du regard, il en est une, extrêmement curieuse, prouvant que les radiations oculaires jouissent d'un certain pouvoir chimique, capable d'influencer la matière et dont nous parlerons plus loin.

Mais, si le regard est capable d'impressionner la matière, c'est parce qu'il sert d'agent de transmission à la pensée, les radiations oculaires sont chargées de radiations mentales, qu'elles emportent avec elles et, dans tous les cas où l'action du regard est mise en jeu, son influence est due à la présence des radiations mentales, lesquelles seraient, parfois, impuissantes à produire seules l'influence à laquelle on désire soumettre une autre personne, de près ou de loin. L'influence mentale à distance constituant un fait télépathique, est puissamment aidée lorsque le regard peut être porté sur un objet ayant, avec la personne visée, des rapports certains, comme une photographie, un spécimen de son écriture, un petit objet d'habillement : cravate, gant, etc. Mais la photo-

_____

1. Hector DURVILLE. — *Le Magnétisme.*

graphie est le *témoin* par excellence d'un individu et, lorsqu'on désire se mettre en rapport mental avec lui, il convient de procéder suivant une méthode très simple, dont nous donnons la substance.

Si le regard d'une personne se porte sur un objet, avant qu'une définition de cet objet ait le temps de se former dans son esprit, l'œil en transmet *l'image* au cerveau et la mémoire en fournit aussitôt le nom, la désignation, s'il présente un caractère familier, sinon l'image seule subsiste, sans aucune désignation possible et, pour parler de cet objet, il faut le décrire. Or, dans la télépathie, l'image seule intervient d'abord, et comme les faits télépathiques se produisent avec une rapidité extrême et ont une très courte durée, l'image seule est transmise, à l'exclusion de toute pensée. Pour permettre à la pensée de suivre l'image, il faut assurer à celle-ci une certaine permanence, laquelle ne peut être maintenue qu'au moyen de la fixation, par le regard, d'un témoin représentant cette image, en l'occurrence celle de l'objet.

Si donc le témoin est la photographie d'une personne, sa fixation par le regard permet d'entrer en communication télépathique avec elle. Comme on a intérêt, dans la vision, à concentrer un regard non distrait, l'on a été amené à créer un dispositif de guide de la vue, laissant voir seulement l'image qu'on regarde, à l'exclusion de tout autre objet. Il nous souvient d'avoir lu, il y a assez longtemps, dans la revue *Cosmopolitain Magazine,* au début de 1899, une communication relative à des faits de transmission de pensée et de télépathie, sous la signature de M. L.-W. Roberts, où il est question d'un instrument imaginé pour la concentration du regard et nommé par l'auteur le « Télépascope ». C'était une sorte de cornet en carton ou en bois, à section transversale rectangulaire, suffisante pour recevoir les deux yeux, à son extrémité la plus étroite, et allant en s'évasant jusqu'à son autre extrémité, placée en face de l'image à examiner. L'image vue dans cet instrument, ou dans tout autre dispositif équivalent, doit être bien éclairée et sa vision très nette. Le regard fixé, sans faiblir, sans battement de paupière, ne doit pas être maintenu jusqu'à la fatigue.

Lorsqu'il s'agit de transmettre quelques pensées élémentaires à la personne dont on regarde la photographie, il n'est pas nécessaire de faire des efforts de volonté ; le simple désir suffit, et ces pensées sont exprimées mentalement, dans le calme le plus parfait, sans hâte.

Nous ne pouvons indiquer ici dans tous ses détails le processus très intéressant de l'opération télépathique, nous avons tenu seulement à montrer le rôle du regard dans la transmission des images mentales et de la pensée à distance, et nous allons étendre nos démonstrations à un phénomène d'influence d'une importance telle qu'il matérialise, en quelque sorte, celui de la transmission de la force mentale et de la pensée, véhiculées par le regard.

Dans un autre ouvrage, plusieurs fois cité, nous avons parlé des expériences du docteur Cazanelli, relatives à l'impression de plaques photographiques par la pensée, dont les variations modifient le caractère de l'impression, mais il convient de signaler le rôle du regard dans cette impression, rôle d'une telle importance qu'en fermant les yeux elle ne se produit pas. L'expérience prend un autre aspect si, au lieu de penser simplement à une idée ou à un fait quelconque en fixant la plaque photographique, l'on fixe d'abord, pendant dix minutes, un texte en gros caractères ou l'image d'un objet et qu'on porte ensuite immédiatement le regard sur la plaque photographique, en le maintenant pendant dix minutes environ. Après développement, le texte ou l'image apparaît sur la plaque, avec une intensité correspondant à la grandeur de l'impression visuelle.

L'on revient aux expériences du docteur Cazanelli, en créant volontairement l'image mentale d'un objet, qu'on s'efforce de maintenir pendant le temps nécessaire à l'impression de la plaque, tout en regardant fixement cette plaque. Au développement, l'image mentale de l'objet apparaît plus ou moins nette, suivant qu'on a su conserver une immobilité plus ou moins grande pendant la durée de l'impression de la plaque.

Mais, bien avant le docteur Cazanelli, d'autres expérimentateurs ont réussi à démontrer l'action du regard et de la pensée sur la plaque photographique, et l'on trouve une relation intéressante de leurs expériences dans un ouvrage très documenté du docteur Joire, de Lille[1].

Les expériences doivent être organisées pour se faire entièrement dans une chambre noire, les plaques à impressionner étant simplement enfermées dans la feuille de papier noir formant leur emballage d'origine. Il faut bien veiller, toutefois, à placer le côté de la plaque portant l'émulsion sensible tourné vers l'extérieur, afin de ne pas obliger l'émanation de la pensée à traverser le verre pour atteindre l'émul-

---

1. Dr Paul JOIRE. — *Les phénomènes psychiques et supernormaux*, chap. XXVI.

sion. Il est parfaitement inutile d'enfermer la plaque à impressionner dans une boîte ou dans un appareil photographique. Lorsque la lumière rouge éclairant la chambre noire est rigoureusement inactinique, il n'est pas nécessaire de mettre la plaque sous une enveloppe quelconque lorsqu'on désire la soumettre à l'action du regard et de la pensée, uniquement en se servant des images mentales créées volontairement dans l'esprit de l'opérateur, à l'exclusion de toute fixation préalable d'objet dont on cherche à reproduire par la pensée l'image sur la plaque.

Nous nous sommes livré personnellement à des essais d'impression de plaques photographiques par le regard et la pensée, dans notre laboratoire, et les résultats ont été des plus intéressants. Dans chaque essai, la plaque était posée sur une table, l'émulsion au-dessus. Avant de commencer l'expérience, la lumière rouge était éteinte et nous opérions dans l'obscurité totale. Pour guider notre regard, nous nous servions d'un support en bois sur lequel notre front s'appuyait ; nos yeux se trouvaient ainsi à trente centimètres de la plaque. L'obscurité favorisant la formation des images mentales, nous obtenions une impression dans un temps variant de 15 à 20 minutes et, chose remarquable, l'objet ainsi photographié conservait la grandeur sous laquelle nous nous le représentions dans l'image mentale.

Nous nous sommes appliqué à ne penser qu'à des objets simples et leur impression, loin d'être nettement tranchée sur le fond de l'image photographique, était comme estompée, mais très nette. Nous avons reproduit ainsi l'image d'un anneau en bois pour rideau, d'une petite croix métallique, d'une pièce de monnaie, d'une fleur, mais c'étaient là des

objets existants, bien connus de nous. Nos expériences ont
ensuite porté sur des objets purement imaginaires ; les résultats ont été identiques aux précédents. L'opération est
très facile, et toute la difficulté consiste à se représenter mentalement un objet et à maintenir son image fixe, sans défaillance, pendant toute la durée de la pose.

Très versé dans l'étude de la photographie, nous avons
varié nos essais en employant des plaques de différentes ra-
pidités et de diverses marques. Nous avons obtenu avec des
plaques panchromatiques des résultats étonnants, le laboratoire étant alors éclairé très faiblement à la lumière verte,
pendant la préparation des expériences. Nous avons essayé
d'interposer entre notre regard et l'émulsion des filtres colorés de grandes dimensions, dont nous avons fait une étude
spéciale[1]. Le filtre bleu-vert et le filtre rose de densité très
faible semblent favoriser l'impression ; les autres teintes paraissent n'avoir aucune action.

Nous avons fait des observations nombreuses et intéressantes, dont nous ne pouvons donner ici les détails, sans
sortir du cadre de notre ouvrage, mais chacun peut très facilement reproduire nos expériences, en usant de patience et
de persévérance.

L'impression de la plaque photographique se produit seulement lorsque le regard et la pensée sont animés, conduits
et appliqués avec la volonté, ou mieux, le désir de voir se
réaliser cette impression, dont la rapidité est proportionnelle

---

1. Antoine LUZY. — *Les Filtres colorés ou écrans compensateurs
en photographie*, chap. V.

à l'intensité du désir. La fixation de la plaque par le regard chargé de la pensée ne donne lieu à aucune impression, sans un désir rigoureusement entretenu de la produire. Et s'il suffisait de regarder une plaque pour l'impressionner, sans en avoir le désir et au gré des pensées flottantes se succédant dans l'esprit, sa conservation serait impossible et elle serait inévitablement voilée.

*
* *

Nous abordons maintenant un domaine dans lequel l'action du regard n'a jamais été soupçonnée, ou tout au moins n'a jamais été analysée dans ses effets, ni dans ses véritables conséquences. Certains observateurs, parmi lesquels quelques radiesthésistes, ont essayé de faire mouvoir le pendule uniquement par l'action du regard et de la pensée. Nous avons mentionné le fait au chapitre I, et il a été prouvé qu'un pendule convenablement suspendu pouvait être mis en mouvement à distance, c'est-à-dire sans contact avec l'opérateur, par la seule action de son regard et de sa pensée ; c'est là une démonstration du pouvoir moteur de la pensée, imprégnant les radiations oculaires.

Mais le mouvement du pendule ainsi obtenu a donné lieu à des interprétations erronées de l'origine de ses mouvements, au cours de l'opération radiesthésique. Des opérateurs superficiels en ont déduit qu'il était mu, lorsqu'il était tenu en main, simplement par l'action du regard fixé sur lui, et non par des mouvements fébrilaires inconscients produits dans les doigts de l'opérateur, mouvements dont le pendule n'est que l'index amplificateur. Le pendule mu par le regard serait ainsi dirigé par la volonté de l'opérateur. C'est donc faire bon marché du rôle capital joué par l'inconscient dans la recherche radiesthésique, lequel, comme nous l'avons largement exposé dans notre ouvrage *La Radiesthésie Moderne* est, avec la pensée, la clé de voûte de la radiesthésie. Les observateurs ayant formulé une conclusion excluant l'action des réflexes neuro-musculaires inconscients, ignorent sans doute qu'au cours d'une recherche radiesthésique, *il ne faut jamais fixer le pendule* d'un regard franc, direct, afin de ne pas distraire la pensée de l'objet de la recherche ; ses mouvements étant suffisamment visibles pour être perçus lorsqu'on regarde l'objet, le plan ou le témoin au-dessus duquel le pendule se meut.

Le fait de fermer les yeux pendant les mouvements du pendule provoque son arrêt, lequel n'est pas dû à la suppression du regard, mais à la suppression des réflexes musculaires inconscients dans les doigts de l'opérateur résultant de la suspension de la pensée et du jeu de l'inconscient, dont le fonctionnement dépend exclusivement de la vision de l'objet servant à la recherche, ou des témoins placés sous le pendule.

Les réflexes neuro-musculaires inconscients sont très souvent produits par l'auto-suggestion, indépendante de l'existence de l'objet de la recherche et, si en fixant le pendule, il paraît se mouvoir avec plus de facilité, cela tient uniquement à l'auto-suggestion, car dans les essais faits par des personnes ignorant la radiesthésie et en dehors de toute recherche, le pendule mis en mouvement au-dessus d'échantillons de substances différentes, oscillait vigoureusement, mais toujours de la même manière. Ces échantillons, par leur

présence, faisaient naître une auto-suggestion donnant naissance à des réflexes inconscients dans les doigts de ces personnes, déterminant les mouvements du pendule, mais des
mouvements uniformes, alors qu'en présence d'un objet de
recherche et tenu par un radiesthésiste expérimenté, ces
mouvements sont divers et très nuancés.

La recherche sur plan, ou téléradiesthésie, consiste à rechercher un objet ou une personne, à une distance quelconque du point où se trouve l'opérateur. « La téléradiesthésie,
disons-nous dans *La Radiesthésie Moderne*, pour qui n'a pas
pratiqué l'étude des phénomènes mentaux, paraît à première
vue la plus mystérieuse de toutes les opérations radiesthési-
ques, à cause de la distance séparant l'opérateur du lieu où
se fait la prospection, distance pratiquement illimitée. Comme la pensée se propage avec une vitesse infinie, il n'y a pas
plus de difficulté pour elle d'aller à des milliers de kilomè-
tres qu'à quelques mètres seulement. Chacun peut en faire
l'expérience : l'on a aussi vite fait de penser au soleil, par
exemple, qu'à un objet placé près de soi. Or, la pensée, *véritable antenne mentale de l'inconscient,* travaille en réalité sur
des images créées dans l'esprit par la mémoire, les souvenirs
ou l'imagination, et discernées ou reconnues par le jeu de
l'esprit, en même temps qu'elle s'en va dans l'espace, aux
lieux auxquels on pense et dont on a une vision intérieure
réelle ou imaginaire, recueillir les informations, dont l'inconscient a besoin, pour former l'idéation, ou faire naître les
réflexes neuro-musculaires.

« Qu'il s'agisse donc d'une recherche faite dans le voisi-
nage immédiat de l'opérateur, ou à des distances considérables, le mécanisme mental fonctionne de la même manière

et *dans le même temps*. La détermination de la profondeur
d'un cours d'eau souterrain, coulant invisiblement sous ses
pieds, est aussi mystérieuse et incompréhensible que la définition du lieu d'un gisement situé aux antipodes. *La dis-*
tance est un élément inexistant dans le processus mental de
la recherche radiesthésique. Cet élément est volontairement
évoqué et recherché, seulement pour situer l'emplacement
exact des objectifs de prospection, mais il n'a aucune influence ni sur la rapidité, ni sur l'étendue, ni sur la qualité de
l'opération, laquelle, en raison de l'inexistence du temps et
de la distance pour la pensée, s'effectue toujours sur un même plan mental, sur lequel sont ramenées toutes les perceptions de l'inconscient.

    « Bien qu'un plan soit, au point de vue radiesthésique,
uniquement le témoin artificiel d'un espace délimité où doit
s'opérer la recherche d'un objet bien défini, et en dehors duquel tout ce qui existe dans cet espace est automatiquement
tenu en inhibition par le sens mental de l'opérateur, celui-ci
a toujours intérêt à travailler sur un plan établi avec soin et
exactitude, et comportant en grandeurs proportionnelles à
l'échelle adoptée tous les détails existant réellement. »

    Lorsque l'opérateur se livre à une recherche sur plan, son
pendule doit accomplir des mouvements simples, mais bien
déterminés, en rapport avec l'existence ou la non-existence
de l'objet cherché, mais d'une manière générale, comme nous
l'avons déjà indiqué, son regard ne doit pas s'attacher au
pendule, dont il doit suivre le mouvement sans le regarder
directement. Le regard doit être porté sur le plan, accompa-
gnant le pendule si on le déplace, ou si le pendule se meut
sans être déplacé, le regard doit voir le plan, mais *sans s'atta-*

cher à aucun détail et, pour y parvenir, il est bon de fermer quelque peu les paupières, de manière à voir les détails du plan légèrement estompés. La fixation d'un détail par le regard détermine, au bout de quelques secondes et en vertu du *pouvoir moteur des images,* une auto-suggestion inconsciente chez l'opérateur, donnant lieu à des réflexes neuro-musculaires ne venant pas de l'inconscient et imprimant au pendule un mouvement dont la forme reproduit celle du détail fixé. Si, par exemple, l'on fixe un petit cercle, ou un petit carré, ou un détail ayant à peu près la forme du cercle ou du carré, le pendule tenu en état d'oscillation se met en giration, c'est-à-dire se met à tourner et, si la giration est l'indice de l'existence de l'objet cherché, l'on peut très bien considérer, par erreur, cet objet comme trouvé alors qu'il n'en est rien.

L'on a émis au sujet de la téléradiesthésie des opinions très diverses, mais généralement fausses, il est certain cependant, et nous pouvons l'affirmer ici, qu'elle n'a rien de commun avec la « voyance » somnambulique.

CHAPITRE VII

L'ÉDUCATION DU REGARD

Nous avons fait ressortir toute l'importance du regard dans les multiples circonstances de la vie et, en particulier, lorsqu'on désire soumettre quelqu'un à l'influence personnelle émanant volontairement de soi-même. Le regard issu de la vision est susceptible d'acquérir, par l'éducation, des qualités extraordinaires de puissance, de pénétration et d'expression. Eduquer le regard ne consiste pas seulement à l'entraîner à maintenir un état de fixité plus ou moins prolongé, mais encore à coordonner sa propre expression avec celle donnée par les muscles de la face, par les gestes et avec les pensées exprimées par la parole. Mais cette éducation comporte aussi la nécessité de savoir créer entre le regard, la pensée et les sentiments éprouvés, une discordance volontaire pour dissimuler une agitation intérieure, ces pensées et ces sentiments.

Il faut savoir cacher, parfois, de grandes douleurs, de graves préoccupations ou une joie intense, pour ne pas gêner ou froisser par leur expression des personnes en proie à des sentiments contraires. C'est par une self-observation de tous les instants, par une étude de ses propres réactions en présence des circonstances les plus diverses, et surtout les plus imprévues, qu'on arrive à une maîtrise absolue des jeux de physionomie, des gestes, de l'attitude générale et surtout des révélations du regard.

Le regard est le réflexe le plus immédiat, le plus prompt de la conscience et, si l'on n'est pas maître de ses mouvements, ses révélations peuvent être, parfois, bien dangereuses. Autant il convient de laisser à ce réflexe toute sa spontanéité, toute son indépendance, lorsqu'on veut livrer, dans un élan de sympathie ou d'enthousiasme, tout ce qu'il y a de pur, de beau, de grand, de généreux dans l'âme humaine, autant il faut le freiner, lorsqu'on est contraint de cacher un calcul, une opinion, une combinaison, une crainte, un vif désir, dont l'existence supposée, même à l'état d'ébauche ou de velléité, pourrait être interprétée comme une cause de faiblesse et donner prise, de la part d'une autre personne, à des exigences auxquelles on ne voudrait pas souscrire.

Il faut bien concevoir qu'en tous temps et en tous lieux, la vie est une incessante lutte à laquelle nul ne peut se soustraire. L'homme le plus modeste a des obligations en rapport avec sa situation, et la vie moderne semble s'orienter vers des époques de plus en plus difficiles, où la douceur de vivre sera vraisemblablement une chose inconnue. Des inventions nouvelles, dont les objets seront accessibles au plus grand nombre, vont faire naître des besoins nouveaux ; elles pourront peut-être séduire et intéresser l'esprit, mais tout en apportant un semblant de confort, elles vont de plus en plus compliquer l'existence, sans diminuer l'âpreté de la lutte engagée pour elle, bien au contraire, car à des besoins nouveaux correspondront sûrement des appétits nouveaux.

L'homme intelligent et conscient de ses responsabilités envers lui-même doit donc tenir compte des perspectives inquiétantes qu'offre l'avenir, car aux inconnues des lendemains prochains, il doit être prêt à répondre, et il le fera avec d'autant plus de vigueur et d'efficacité qu'il aura su renforcer sa personnalité et contrôler tous ses actes. L'étude de la psychologie humaine, poursuivie dans les philosophes et dans le livre de la vie, est un des procédés les meilleurs pour se forger des moyens de défense et, dans notre ouvrage, nous avons voulu, par l'analyse et l'interprétation rationnelle du regard, mettre à la disposition de tous un de ces moyens.

*
**

Il est un fait qu'ont pu remarquer les psychologues, c'est la correspondance des sentiments, des dispositions naturelles, des tendances, avec les expressions de la physionomie et en particulier avec celles du regard. Ces expressions ont une grande importance dans les rapports qu'on peut avoir avec d'autres personnes et sont à l'origine de certains jugements préalables prononcés avant l'extension de ces rapports ; mais l'on est en droit de se demander par quel processus psychologique ces expressions se forment. Ainsi, par exemple, comment la duplicité et l'hypocrisie font-elles naître l'habitude de regarder sans franchise, comment donnent-elles ce qu'on appelle le regard en dessous ? Il y a là un important objet d'étude, mais le fait est réel et il est certain qu'en contraignant, par hypothèse, des enfants à ne pas regarder droit, mais obliquement ou en dessous, on les conduirait à devenir dissimulés, sournois et menteurs, car il semble qu'il y a une sorte de réversibilité dans l'action des dispositions naturelles, envers la physionomie et le regard et dans l'action de la physionomie et du regard envers les dispositions naturelles ou acquises. L'imitation est capable, comme l'éducation, de produire, sur les expressions de la physionomie, des résultats identiques.

Quoi qu'il en soit, dans l'éducation de l'enfant, il faut l'astreindre à regarder toujours bien droit devant lui, et les gens toujours en face, l'œil bien ouvert et la face un peu relevée. L'individu au regard droit et franc donne l'impression de livrer sans retenue son âme et sa pensée, et son absence de dissimulation est un élément très important, rendant facile la conquête des sympathies.

A des degrés différents, les individus exercent sans s'en douter une influence sympathique ou antipathique, émanant de leur personne et résultant de leur aspect extérieur, de leur mise, de leur allure, de leur manière de se tenir, de se présenter. L'impression causée par les apparences se modifie souvent lorsque les individus parlent ; l'expression de leurs pensées et surtout leur regard changent l'antipathie en sympathie ou inversement, ou confirment le premier sentiment qu'ils ont fait naître. Parfois, tout dans un individu laisse indifférent, comme si son influence était nulle. Mais les impressions qu'il peut causer sont plus ou moins diverses, suivant la personne impressionnée, la valeur de sa psychologie et l'orientation de ses idées.

Comme nous l'avons déjà exposé, l'influence personnelle joue un rôle considérable dans les relations humaines, et chacun doit s'appliquer à l'exercer à son avantage, car en fait, influencer les gens favorablement, c'est leur être agréable et savoir être agréable est toujours un excellent moyen d'attirer à soi les profits matériels et moraux, d'assurer le succès de ses entreprises, sans nuire à personne.

En général, chacun a pu constater en différentes circonstances combien il est accueilli avec sympathie par certaines personnes, et sans enthousiasme par d'autres, ressentant ainsi la nécessité d'adapter sa manière de faire à tous les genres d'accueils, pour laisser à tous la meilleure impression possible, et ainsi chacun a pu apprendre combien il est difficile, suivant l'expression commune, de contenter à la fois tout le monde et son père.

L'influence personnelle se manifeste dès le premier contact entre individus ; la poignée de mains, le regard, l'expression franche, la facilité, l'ingéniosité et la correction des premières paroles, ont sur la suite des rapports des conséquences certaines. L'on est plus ou moins favorisé dans la répartition naturelle des facteurs mettant en mouvement l'influence personnelle ; l'on bénéficie plus ou moins d'avantages physiques ou intellectuels, d'un psychisme plus ou moins dynamique, ou plus ou moins passif ; l'hérédité, l'éducation, l'influence du milieu, l'état de santé ont fait de l'être un audacieux ou un timide, un courageux ou un craintif, un actif ou un indolent, il est pour une grande part le fruit de son ascendance et il acquiert assez rapidement, au contact de la vie, la notion de sa supériorité ou de son infériorité ; mais, à part quelques individus très défavorisés, mal réussis, chaque homme apporte en lui en naissant des moyens dont il ne soupçonne pas toujours l'existence, lui permettant de se libérer volontairement de la servitude dans laquelle le tient une infériorité relative, ou une déficience de son psychisme, et qu'il croit, souvent, définitive.

Or, la fatalité ne joue pas spécialement contre tel ou tel individu, aucun n'est voué à un destin inexorable. Il y a des coïncidences malheureuses, mais bien souvent elles résultent des actions accomplies par les gens en étant victimes, ou de certaines négligences, ou encore de fautes commises par quelqu'un de leur entourage. Si donc un individu, se trouvant normal, éprouve des déceptions au contact de ses semblables, s'il n'arrive pas à créer autour de sa personne une ambiance en rapport avec ses désirs, s'il sent qu'il suscite peu d'intérêt, malgré les connaissances qu'il a pu acquérir, il lui reste à procéder, en toute objectivité, à un examen impartial de sa personnalité, par un travail consciencieux d'introspection, pour découvrir les causes de l'ostracisme dont il se croit ou se sent l'objet. Dans bien des cas, il faut peu de chose pour le faire cesser et la guérison d'un petit travers, d'un excès de timidité, ou la maîtrise d'un caractère difficile, suffit pour permettre à l'influence personnelle de se déclencher, surtout lorsqu'on est fermement décidé à se faire une place honorable dans la société et de conquérir toutes les sympathies.

L'on est comme on est, et nul ne peut reprocher à d'autres les disgrâces naturelles dont ils peuvent être affligés. Les sots seulement se plaisent à ridiculiser les personnes les plus respectables, parce qu'elles ont l'une un grand nez, l'autre de grands pieds, etc. L'estime des sots n'est pas à rechercher, et il ne faut tenir nul compte de leurs remarques inconvenantes, qu'ils croient souvent très spirituelles. Ces disgrâces ne sont donc nullement un obstacle de l'amélioration des rapports avec autrui, et il en est de même de l'âge, de la nature de la profession et même de l'état de santé, lorsqu'il ne rend pas l'existence intolérable. Les conditions de vie dans lesquelles on se trouve laissent toujours, lorsqu'on le veut bien, la possibilité de réfléchir, de rechercher les moyens de les améliorer, lorsqu'elles paraissent incompatibles avec l'idée qu'on se fait du bonheur.

La réflexion doit faire comprendre qu'il faut, d'abord, avant de gagner la confiance des autres, gagner sa propre confiance en soi-même, en réveillant l'énergie morale existant à l'état latent et dont chacun a reçu sa part en prenant contact avec la vie. Lorsqu'on a acquis le sentiment de la force intérieure impartie par la nature, l'on prend rapidement une assurance de plus en plus grande, laquelle s'exerce sans faiblir, en présence de n'importe quelle personne, même si elle est d'un rang très élevé, si elle dispose d'une grande autorité, d'un grand savoir, ou si elle jouit d'une grande réputation. Et cette assurance se révèle dans le maintien, dans la parole et dans le regard, dont le magnétisme devient de plus en plus sensible, de plus en plus apparent, en soutenant de mieux en mieux l'influence personnelle, devenue elle-même de plus en plus pénétrante.

La persistance dans l'effort de volonté pour acquérir ce qu'on appelle une forte personnalité, n'est jamais dépensée en vain, mais il ne faut pas désirer obtenir des choses au-dessus des moyens, des possibilités dont on dispose. Il faut une limite à l'ambition de bien faire, laquelle une fois atteinte, permet de voir si l'on peut aller plus loin et plus haut, en suivant la même méthode. Et en procédant ainsi par étapes, l'on prend le temps d'augmenter sa valeur personnelle réelle, son savoir, son expérience et le potentiel de l'influence qu'on est amené à prendre sur les autres personnes ; il arrive un moment où l'on a le sentiment très net de les dominer lorsqu'on le veut bien ; l'on est toujours prêt à soutenir une discussion, à faire front à leurs exigences excessives et à résister à leurs contradictions. L'énergie courtoise qu'on sait montrer quand il le faut, appuyée par des arguments sains, impose le respect et crée un prestige individuel, grâce auquel on est très recherché.

*
* *

L'éducation du regard vise, en raison de la multiplicité des circonstances, des buts quelque peu différents, et comporte par conséquent des moyens en rapport avec ces buts.

En premier lieu, il convient de savoir rendre son regard fixe, et cela présente des difficultés insoupçonnées. Le regard fixe peut être porté sur l'infini, c'est-à-dire ne s'attachant à la vision d'aucun objet. C'est le regard du penseur, du chercheur ; c'est le regard à l'état de repos, pendant le travail de l'esprit, absorbé par une vision intérieure ou par la pensée méditative. Le regard fixé sur l'infini produit, dans les moments de fatigue, de dépression, une bienfaisante détente, c'est le regard fixe involontaire, inconscient, lorsqu'on ne pense à rien, suivant l'expression populaire.

Le regard volontairement fixé sur l'infini, sur un objet quelconque ou sur une personne, entraîne, s'il est longuement maintenu, une fatigue visuelle sérieuse et différentes réactions de l'organisme, dont les plus apparentes sont une modification du rythme respiratoire, un peu d'oppression et quelquefois une accélération du pouls. Certains individus,

après un entraînement approprié, sont capables de maintenir
leur regard fixe pendant un temps relativement long. C'est
ainsi qu'on a vu à Paris, au cours des années ayant suivi la
guerre de 1914-1918, un tailleur des boulevards employer
dans sa vitrine un mannequin vivant, demeurant immobile,
le regard rigoureusement fixe pendant plus d'une demi-heure.
Un maquillage de la face lui donnait l'aspect d'un mannequin
réel, et les passants massés devant la boutique attendaient
patiemment le moment où, abandonnant l'immobilité, il al-
lait esquisser quelques gestes gracieux. L'affluence était
telle qu'il fallait, à certains moments, l'intervention de la po-
lice pour faire respecter la liberté de la circulation.

Une maison rivale avait à son service un autre individu,
véritable mannequin animé, parcourant les boulevards, le
regard fixe, perdu dans l'infini ; il marchait d'un pas méca-
nique pendant trois-quarts d'heure, sans faire un mouvement
des paupières. Habillé richement, coiffé d'un chapeau haut-
de forme jaune ou violet et portant dans le dos l'adresse de
sa maison, il attirait tous les regards, et sa marche régulière,
comme celle de Philéas Fog, s'accomplissait d'une manière
imperturbable, sous les yeux amusés de nombreux suiveurs.

L'entraînement à la fixité du regard est une opération des
plus simples, mais elle est d'autant plus efficace qu'elle s'accomplit avec plus de méthode et avec une progression plus
rigoureuse. Le temps des exercices doit être tel qu'ils ne
produisent pas la plus petite sensation de fatigue visuelle. Les
premiers essais doivent se faire à la lumière naturelle et
porter sur des objets distants d'environ cinquante centimètres
des yeux. L'on peut donc s'asseoir commodément devant une
table sur laquelle on place, à la distance indiquée, l'objet à

fixer du regard, *objet non brillant*, sans aucun reflet, comme, par exemple, une petite boîte de forme et de dimensions quelconques. La durée des exercices doit s'accomplir suivant la progression suivante : le premier jour, dix secondes de fixation du regard, ensuite dix secondes de repos, en répétant alternativement exercice et repos pendant une demi-heure ; le deuxième jour, même exercice, avec travail et repos alternés de trente secondes ; le troisième jour, même exercice, portant sur une minute de travail et une minute de repos. L'on poursuit la progression de la durée de fixation en augmentant d'une minute chaque jour, jusqu'à quinze minutes, en alternant toujours avec des repos de même durée. L'exercice de quinze minutes n'a donc lieu qu'une fois. Pendant toute la durée de la fixation du regard, les paupières doivent être maintenues rigoureusement immobiles.

L'on peut répéter la même série d'exercices à la lumière artificielle, et ensuite procéder avec le même objet, à la distance de deux mètres à la lumière du jour et à la lumière artificielle, en limitant la durée de fixation à quinze minutes, sans passer par les durées de fixation moindres, lesquelles n'ont plus d'utilité. Lorsque la formation de l'œil à la fixité est acquise, l'on s'exerce à attacher le regard à des objets placés à des distances quelconques, même très éloignées ; mais il reste à acquérir le pouvoir de fixation, en opposant le regard à celui d'une autre personne, en commençant toujours les expériences à la lumière naturelle.

La fixation des yeux d'une autre personne se fait avec moins de facilité, car il faut compter avec la réaction de son regard et les réactions de son activité mentale sur l'opérateur. Ensuite, l'on a moins d'indépendance envers une personne qu'envers un objet sans vie : l'on subit une impression de contact, de proximité, de gêne ; l'on est quelquefois paralysé par le sentiment des convenances, la crainte d'interprétations désavantageuses et par les pensées envahissant l'esprit, et pour rencontrer une personne ayant la complaisance de se prêter aux exercices de formation, cela n'est pas facile, à moins de la trouver dans son entourage immédiat.

Il convient donc d'acquérir peu à peu l'assurance indispensable pour soutenir sans faiblir l'opposition d'un regard quelconque et, pour y parvenir, il faut commencer les exercices de fixation, sur des photographies d'un format un peu grand, tels le 13 × 18 ou le 18 × 24, des personnes ayant été prises le regard fixé sur l'objectif, de manière à ce qu'elles regardent l'opérateur, comme il a été indiqué au chapitre III. La durée de ces exercices doit être portée à une demi-heure sans interruption. Ensuite, l'on opère sur sa propre image, en se plaçant en face d'un miroir. Nous avons indiqué plus haut qu'en présence des personnes il fallait, pour éviter la fatigue visuelle et les effets de leurs réactions, les regarder entre les deux yeux, à la racine du nez ; elles ont ainsi l'impression qu'on les fixe dans les yeux.

Nous avons recommandé de faire tous les exercices d'entraînement à la fixation du regard à la lumière du jour d'abord, et ensuite à la lumière artificielle, afin de former l'œil aux changements d'aspect des êtres et des choses qu'ils subissent en passant d'une lumière à l'autre, car dans les relations courantes, l'on est appelé à exercer son influence le jour ou la nuit et, pour conserver au regard toute son efficacité, il est indispensable qu'il ne soit pas sous la dépendance de l'éclairement dans lequel sont placés les sujets.

*
* *

Lorsqu'on a réussi à maintenir le regard fixe, sans défaillance, pendant la durée maximum des exercices d'entraînement, il reste à lui donner la *fermeté,* sans laquelle il ne cause jamais une impression profonde. La fermeté du regard contient l'expression de la volonté, de la décision, et elle ne doit pas être confondue avec la *dureté,* car un regard ferme peut contenir aussi de la douceur et de la générosité. La fermeté du regard le rend plus vivant, plus expressif, plus éloquent, plus assuré.

La fermeté s'acquiert par des exercices dans lesquels *l'adresse visuelle* intervient concurremment avec l'adresse manuelle. Les métiers nécessitant une grande attention, un toucher délicat, pour réaliser des choses très précises, sont excellents pour former la fermeté du regard. Le psychologue sait discerner la différence existant entre le regard d'un horloger et celui d'un terrassier ; dans le premier se voit une acuité spéciale, une ferme fixité alliée à une grande souplesse ; dans le second l'on remarque une fixité trouble, vague, un certain manque d'assurance, même de l'hésitation. L'habitude des visions lointaines, l'effort fréquent pour distinguer à longue distance, propres aux marins et aux habitants du désert, donne au regard une fermeté particulière, teintée de mélancolie et souvent d'une grande bonté.

Comme on le voit, la psychologie du regard est à la fois intéressante et complexe, et les exercices propres à lui donner d'une manière artificielle sa valeur expressive, doivent donc dériver des circonstances et des faits lui donnant naturellement une éducation parfaite.

La fixité du regard portant sur les choses ou sur les animaux est une fixité figée, incompatible avec la fixité vivante qu'il convient d'employer avec les personnes. La vie d'un regard fixe, ferme et assuré, résulte d'un travail mental ou intellectuel accompli lorsque l'œil est complètement immobile, et consistant à faire un examen détaillé de l'objet du regard. La fermeté et l'assurance du regard s'acquièrent comme une habitude ; lentes et volontaires au début, elles deviennent machinales par la suite, et les exercices pour les acquérir sont d'une nature identique à ceux auxquels se livrent les artistes peintres ou scupteurs dans l'observation de leurs modèles, pour posséder la mémoire visuelle de leurs formes et de leurs expressions.

Il faut donc procéder, d'abord, en fixant un objet, à l'analyse de tous ses détails, à l'étude de ses proportions et en faire un relevé mental. L'examen détaillé d'un *objet simple* demande, en moyenne, dix minutes, et une excellente chose est d'en faire un croquis de mémoire. Le même exercice, sur des objets différents, doit être renouvelé au moins vingt fois, en utilisant des objets de plus en plus compliqués.

Lorsqu'on a acquis une certaine habileté à analyser des objets, l'on passe à l'analyse de figures, de portraits, sans omettre aucun détail, et sans oublier de faire suivre l'analyse de leur description mentale et de remarques ou commentaires sur leurs particularités, et sans qu'aucune considération ne viennent altérer la fixité du regard.

Un tel genre d'exercices se continue par l'analyse du visage des personnes avec lesquelles on se trouve en présence momentanément, sans avoir l'occasion de leur parler, comme cela se produit dans les transports en commun, dans les ca-

fés, etc., et en procédant avec tact, avec prudence, c'est-à-
dire en ne fixant pas les personnes placées trop près de soi,
l'on ne sollicite pas leur attenion, et l'on peut tout à l'aise
remarquer leurs réflexes, leurs tics, leurs jeux de physionomie
et suivre les diverses expressions de leur regard. L'on se pré-
pare ainsi à aborder les personnes auxquelles on doit parler,
avec le regard exercé et sûr de lui-même. L'analyse qu'on
fait rapidement de leur physionomie permet de suivre le jeu
de leurs pensées et de voir s'il y a concordance entre l'expression de leur regard et les paroles qu'elles prononcent. L'on
est dès lors fixé sur leur sincérité, ou tout au moins sur leur
agitation intérieure, et l'on arrive en continuant à les analyser
sous la pression du regard, à saisir leurs points faibles ; il
reste alors à leur appliquer les arguments propres à les influencer, à déclencher leur sympathie ou à obtenir leur consentement.

Dans certains lieux publics, dans certains salons, se trouvent des miroirs de grandes dimensions permettant de voir
indirectement les personnes qu'on désire observer sans attirer
leur attention, ni celle des autres personnes. Bien entendu,
s'il est possible d'influencer quelqu'un par le regard indirect,
l'influence est forcément limitée à l'action du regard et de
la suggestion de pensée. Le regard indirect ou réfléchi,
comme les suggestions indirectes ou réfléchies ont une puissance d'influence équivalente à celle du regard et de la
suggestion directs, et même quelquefois supérieure, car elles
ne subissent jamais les effets des réactions offertes par les
personnes ayant conscience d'être regardées.

CHAPITRE VIII

LE REGARD FIXE.
SES EFFETS SUR L'HOMME
ET SUR LES ANIMAUX

Nous avons exposé au chapitre précédent quelques considérations sur le regard fixe, nous allons examiner maintenant les conséquences de ce regard. Il convient de distinguer deux sortes de regards fixes *actifs*. Dans l'une, les yeux et leurs annexes, tout en demeurant immobiles, donnent, néanmoins, une impression de vie agissante ; dans l'autre, au contraire, les yeux paraissent figés et le regard semble dégager un magnétisme spécial, sans rapport avec le mouvement de la vie intérieure. Mais ce magnétisme est issu d'un sentiment intérieur puissant, dont le dynamisme n'est pas apparent, et relatif, par exemple, à un violent désir de possession, à une idée de vengeance, et possède un grand pouvoir d'attraction, de domination et surtout de fascination.

La fascination a donné lieu, de la part de l'opinion populaire, à des croyances et à des interprétations diverses, dont les plus anciennes contenaient toujours une idée d'enchantement, de charme dégagé par certains regards, ayant le pouvoir d'agir sur d'autres regards et exerçant ainsi sur d'autres pesonnes un ascendant, une emprise auxquels elles ne pouvaient se soustraire, dont elles ne pouvaient se dégager.

Tout n'est pas inexact dans ces croyances, mais appuyé sur la psychologie moderne, nous pouvons donner de la fascination une autre définition : provoquée ou accidentelle, dans l'hypnose ou à l'état de veille, elle résulte de circonstances agissant sur l'esprit, de manière à paralyser ses facultés de discernement et de jugement ; elle agit sur l'imagination pour créer des fantasmes et de fausses visions ; elle paralyse les mouvements ou, au contraire, les accélère, en dehors de toute action de la volonté.

Quelle que soit la cause déterminant la fascination, c'est un phénomène très réel, mais présentant des modalités diverses, dans lesquelles sont affectées différentes fonctions de l'organisme et toujours le libre jeu de la pensée. La fascination peut être provoquée chez l'homme et les animaux par l'action du regard, mais aussi par la peur. Parfois, la voix est altérée ou suspendue ; en présence d'un danger certain, on ne peut ni crier, ni appeler, l'œil se fixe sur le danger et tout réflexe utile pour l'éviter ne peut se produire, aucun moyen de défense instinctif ou volontaire ne fonctionne. L'on ne peut ni fuir, ni agir, l'on est comme pétrifié, impuissant ; l'organisme se contracte, se resserre dans l'attente d'un dénouement fatal. Parfois, au contraire, lorsque la peur saisit un individu, ses réflexes protecteurs prennent brusquement une ampleur extraordinaire, au lieu de faire face au danger, il crie, il fuit en y mettant toutes les forces dont il est capable.

Montaigne dit avec raison en parlant de la peur : « Tantost elle nous donne des ailes aux talons ; tantost elle nous cloue les pieds et les entrave. »[1] Et plus loin il dit non moins judicieusement : « Il est certain que la peur extrême, et l'extrême ardeur de courage, troublent également le ventre et le relaschent. »[2]

La peur entre dans l'homme de différents côtés, par les oreilles : il y a des bruits terrifiants, mais c'est seulement en entrant par les yeux qu'elle crée le trouble psychique profond caractérisant la fascination, dans lequel toute réaction salvatrice est rendue impossible.

Mais encore la fascination peut se produire en dehors de toute impression sensorielle, par la peur, et surtout par la peur collective d'un danger réel ou imaginaire. Une idée se forme, se développe, s'amplifie, s'impose et rend l'être incapable de poursuivre son existence normale ; tout en lui est subordonné à la pensée de fuir ; son imagination se bloque devant l'image de la fuite, chassant de l'esprit toute possibilité de réaction salutaire. Et l'on voit ainsi, comme au cours des guerres modernes, l'exode de millions d'individus en différents pays, cherchant, en proie à une terreur panique, leur salut dans l'éloignement ; toutefois, le danger, sans être immédiat était, dans certains cas, réel, et la peur collective pouvait se justifier, en présence de moyens de destruction contre lesquels il était impossible de se protéger.

---

1. MONTAIGNE. — *Essais*, livre I, chap. XVII.
2. MONTAIGNE. — *Essais*, livre I, chap. LIV.

*
* *

Dans la fascination par le regard, il existe des points assez mystérieux, faisant l'objet de diverses hypothèses, mais d'aucune certitude. Le magnétisme, par exemple, semblant émaner des yeux fascinateurs, est-il dû à quelque chose de transporté, de transmis par le regard ? Si l'on tient compte des possibilités d'extériorisation de la pensée, dont le rayonnement est canalisé par le regard, il faut bien admettre que le regard fixe, dans lequel les yeux paraissent fixés, est capable de transporter la pensée et avec d'autant plus de force que, dans le regard fixe, elle est concentrée sur une seule idée.

Chez le sujet, homme ou animal, dans lequel se crée ou se développe la fascination, celle-ci peut se produire par l'attirance exercée sur l'attention, par une circonstance ou un objet, et si l'on s'en réfère à l'opinion du docteur Liébaut, de Nancy, l'attention, du point de vue physiologique, est une force nerveuse pouvant agir, non seulement sur la vue, mais, par sa tension extrême, sur l'ensemble de l'organisme, bloquant les réflexes et les sens et, étant concentrée sur la vue, détermine la fascination.

Les réactions organiques dues aux agents extérieurs influençant la pensée et les sens, ne se produisent pas toujours de la même manière chez tous les individus, elles varient suivant leurs prédispositions psychiques. A l'égard de ces réactions, les individus se classent dans quatre catégories principales : les visuels, les auditifs, les graphiques et les moteurs. Chez les premiers, le nom ou la pensée d'un objet est toujours accompagné de la vision intérieure de cet objet dans l'esprit du sujet ; ils ont, en outre, une tendance à concentrer leur attention sur la vision extérieure des choses et ils ont la mémoire parfaite des choses vues. Chez les auditifs, chaque nom prononcé prend une consonnance particulière et l'évocation d'un objet sonore s'accompagne mentalement du bruit de cet objet. Chez les graphiques, les mots ont une physionomie, et l'image du mot écrit, d'un objet nommé, se présente à leur esprit. Enfin, chez les moteurs, les noms se rapportant aux êtres et aux choses animés produisent en eux une idée de mouvement ; cette idée s'extériorise souvent dans un geste, représentant plus ou moins vaguement ce mouvement ; chez les moteurs, en outre, les débats intérieurs, la vision des choses déclenchent des réflexes et des gestes nombreux, comme le besoin de marcher dans un bureau, d'aller et venir, d'ouvrir un meuble, un tiroir sans raison, de triturer un objet entre les doigts, etc. Le sens moteur est le plus répandu, et les individus le possédant sont les moins prédisposés à subir la fascination, ou tout au moins à être sidérés sur place par une vision horrifique, par toutes les causes produisant l'immobilisation, la stupeur ou l'attraction chez le visuel.

Nous avons connu quelques personnes des deux sexes montrant nettement une tendance particulière à la fascination, en ce qu'elles subissaient, au cours de la conversation, l'influence de notre regard sans qu'il y ait de notre part aucune intention d'agir volontairement sur elles. Il suffisait de les intéresser par un récit, par des explications touchant leurs préoccupations du moment, ou leurs intérêts, pour voir leurs yeux se dilater, se fixer sur les nôtres et, sans s'en apercevoir, elles se penchaient de plus en plus vers nous, comme attirées, reproduisant même à l'état d'ébauche quelques-uns de nos gestes. Nous nous sommes trouvés souvent dans l'obligation de détourner brusquement nos yeux, pour libérer les leurs, en constatant qu'elles devenaient incapables de suivre nettement nos paroles.

Nous eûmes autrefois à traiter plusieurs sujets, affectés d'hypersensibilité de l'attention visuelle et tombant fréquemment dans une sorte de fascination, en présence de certaines personnes leur étant particulièrement sympathiques. L'un de ces sujets se sentait troublé en présence de sa propre image, lorsqu'il se regardait dans un miroir, au point qu'il lui devenait impossible de se raser ; ses yeux étaient attirés par leur image réfléchie et il devait faire de pénibles efforts pour se dégager. Nous dûmes lui consacrer plusieurs séances de suggestion pour le guérir.

En hypnotisme, la fascination prend un caractère plus accentué, correspondant à la condition de passivité pénétrant le sujet, au cours des états légers de l'hypnose, pendant lesquels on réalise ce qu'on appelle la *prise du regard*.

L'opérateur se met en face et assez près du sujet, alors qu'il a les yeux fermés et dont il soulève les paupières avec les doigts ; il place alors ses yeux très exactement dans la direction du regard du sujet. Celui-ci ne réagit nullement pour fermer ses paupières, et son regard s'accroche avec force aux yeux de l'opérateur, en les suivant dans tous leurs mouvements ; s'il se tourne, le sujet se précipite pour le suivre ; si l'opérateur se met la face contre le mur, le sujet l'écarte pour reprendre ses yeux. Mais le sujet restant en état de fascination, l'on peut accrocher son regard à un objet en l'interposant rapidement entre ses yeux et ceux de l'opérateur. Si celui-ci présente un doigt devant les yeux du sujet,

il le suit partout où il va. On peut encore attacher le regard
du sujet à ses propres yeux, dans un miroir ; aux yeux d'un
portrait, dont il suit tous les déplacements. Nous avions fait
l'expérience un jour avec un de nos sujets, et nous avions
soudain caché le portrait dans le tiroir d'une commode ;
avant d'avoir pu prévenir son geste, le sujet avait brutalement
tiré le tiroir, l'expédiant au milieu de la chambre et, le portrait se trouvant sur le tapis, il s'y coucha de façon à en
saisir les yeux de son regard.

Un sujet en état de fascination est attiré d'une manière
irrésistible par l'objet auquel son regard est accroché et, si on
lui dérobe cet objet, il renverse tout pour le retrouver, bous-
culant les personnes et les meubles, avec une vigueur et une
brutalité dont il se montrerait incapable dans l'état de veille.

*
* *

Dans certains vieux grimoires imprégnés de l'esprit de l'an-
cienne magie, l'on trouve des formules appartenant à la sor-
cellerie et relatives aux propriétés maléfiques du regard fixe,
ainsi qu'aux moyens de les utiliser, pour tirer vengeance de
certaines personnes, ou pour leur nuire, pour satisfaire à des
sentiments de haine, de jalousie, d'ambition, en vue de se
défaire de l'obstacle qu'elles semblent apporter à la réalisation de certains désirs. Ces formules, issues de l'imagination
de quelques magiciens ou sorciers, si elles ne se trouvent pas
reproduites dans la littérature spéciale actuelle, sont de tous
les temps et, comme à l'époque des vieilles civilisations orien-
tales, elles ont eu, bien après la Renaissance et elles ont
encore à l'heure actuelle, le don d'intéresser quelques per-

sonnes convaincues de l'efficacité de leur pouvoir occulte.
Et, si l'on pouvait pénétrer dans les chambres discrètes où,
dans le silence de la nuit, s'élaborent d'étranges opérations
basées sur ces formules, l'on serait étonné du nombre de
gens se livrant à leur exploitation.

« L'antiquité a tenu de certaines femmes en Scythie, qu'a-
nimées et courroucées contre quelqu'un, elles le tuoient du
seul regard. Les tortues et les autruches couvent leurs œufs
de la seule veue, signe qu'ils y ont quelque vertu éjaculatrice.
Et quant aux sorciers, on les dict avoir des yeux offensifs et
nuisants. »[1]

En principe, l'on peut nuire à quelqu'un en soumettant à
l'action du regard un objet venant de lui : photographie, lettre
écrite de sa main, pièce d'habillement, ou extraits physiologiques de sa personne. Sur une table devant laquelle est assis
l'opérateur, l'objet bien éclairé est frappé par son regard,
maintenu, pendant une demi-heure au moins, dans un état
de fixité absolue ; pendant toute la durée de la fixation de
l'objet, l'opérateur doit prononcer mentalement les fameuses
formules, dont nous ne donnons ici aucune traduction, car
nous avons pris pour règle de ne rien utiliser des choses
considérées comme nuisibles, supposées venir du démon ou
de la cabbale. Des opérateurs tentent de remplacer les formules magiques par des suggestions appropriées, et retom-
bent ainsi dans le domaine de la télépathie ; mais, heureusement pour les personnes qu'ils visent, leurs pratiques sont
inopérantes, car la télépathie ne s'exerce avec succès qu'après

---

1. MONTAIGNE. — *Essais*, livre I, Chap. XX.

une longue période d'entraînement et une connaissance parfaite des possibilités de l'activité mentale.

Dans certaines formes de l'envoûtement, le regard fixe était un élément indispensable pendant l'exécution des actes propres à agir sur la victime. L'envoûtement fut l'objet d'une croyance très répandue dans les temps anciens et au moyen âge, laquelle est encore acceptée actuellement par des gens crédules et superstitieux. Il consistait à confectionner une statuette en cire, représentant plus ou moins exactement la personne qu'on voulait envoûter. Cette statuette était soumise à une préparation suivant un rite approprié, après laquelle toutes les tortures qu'on pouvait lui faire subir devaient être ressenties par la personne qu'elle représentait. Certains actes propres à faire souffrir devaient s'accomplir en prononçant des incantations, tout en maintenant sur la statuette un regard fixe et courroucé.

*
* *

La nocivité du regard humain dans les expériences d'influence à distance et d'envoûtement est peut-être purement imaginaire, ou peut-être réelle, rien jusqu'à présent, en dehors des affirmations des grimoires, ne fournit une preuve évidente de ses propriétés maléfiques. Mais si l'on est dans l'incertitude du côté de son utilisation à des fins occultes, il n'en est pas de même relativement à son action sur les animaux.

Nous avons reçu autrefois les impressions d'un dompteur connu, et son opinion relative à l'action du regard humain sur les animaux était certainement fondée, en vertu d'une expérience de longue durée, au cours de laquelle sa vie fut bien souvent en danger. Selon lui, les fauves les plus féroces et les plus indociles ne résistent pas au regard de l'homme, et non seulement le regard agit pendant qu'il est fixé sur les yeux de la bête, mais son influence persiste pendant quelques instants après qu'il en a été détourné ; cela donne au dompteur la possibilité d'influencer plusieurs fauves successivement et de les tenir simultanément tous en respect. Lorsque les animaux sont repus par une nourriture abondante, leur férocité s'atténue beaucoup et l'influence du regard les subjugue totalement. Quand l'un des fauves a un accès de révolte, cela tient souvent à un fléchissement du regard du dompteur, occasionné par la fatigue ou par une indisposition passagère. Il lui faut parfois faire des prodiges d'énergie pour ne pas tromper l'attente des spectateurs, et il ne sait pas toujours, en entrant dans une cage, s'il s'en sortira vivant.

Nous nous sommes livré plusieurs fois à une expérience intéressante sur des oiseaux en cage, en vue d'exercer sur eux le pouvoir fascinateur de notre regard. Assis à quelque distance d'une cage contenant un seul oiseau : serin, pinson ou chardonneret, nous fixions notre regard sur l'animal, en visant spécialement ses yeux. L'expérience était rendue difficile au début, par suite de ses mouvements incessants puis, après une période d'agitation et de petits cris, il s'immobilisait, la tête tournée vers nous, poussant des cris de plus en plus étouffés, et finalement venait s'appuyer contre les barreaux de sa cage, le plus près de nous possible, restant attiré, fasciné et, si aucun obstacle ne s'y était opposé, peut-être serait-il venu se faire prendre entre nos mains. Dès que nous suspendions notre regard, le charme cessait ; il s'écartait, se-

couait ses plumes puis, après être allé boire, il recommen-
çait ses sauts et ses petits cris, reprenant son existence normale.

Nous avons fait la même expérience sur différents animaux,
dont les chats et les chiens. Les premiers, indifférents et fleg-
matiques par nature, semblent peu sensibles au regard fixe
humain. Au moment où l'on croit les dominer, ils tournent
sur eux-mêmes d'un air peu intéressé, font onduler leur queue
et vont s'asseoir un peu plus loin sur leur derrière. Les chiens,
par contre, s'accommodent mal du regard fixe de l'homme.
Dès qu'on les regarde les yeux immobiles, ils manifestent une
certaine inquiétude, laquelle va croissant, et des aboiements
de plus en plus pressés révèlent leur trouble intérieur. Puis,
attirés, ils s'approchent et viennent solliciter un geste amical
de l'opérateur.

« On veit dernièrement chez moy un chat guestant un oyseau, du haut d'un arbre et s'estants fichez la veue ferme l'un
contre l'autre quelque espace de temps, l'oyseau s'estre laissé
cheoir comme mort entre les pattes du chat ; ou enyvré par
sa propre imagination, ou attiré par quelque force attractive
du chat. Ceulx qui aiment la volerie ont ouy faire le conte du
faulconnier, qui, arrestant obstinément sa veue contre un mi-
lan en l'air, gageoit, de la seule force de sa veue, le ramener
contrebas et le faisoit, à ce qu'on dict. »[1]

Les reptiles, et en particulier les serpents, ont un regard
fascinateur extraordinaire, et l'on a vu souvent de petits oi-

---

1. MONTAIGNE. — *Essais*, livre I, Chap. XX.

seaux attirés sans pouvoir se défendre et se précipiter d'eux-
mêmes dans la gueule ouverte d'un serpent.

Mais si les reptiles ont un regard fascinateur, ils ne peuvent, en revanche, résister au regard fixe humain. Les récits
de différents expérimentateurs sont tous concordants au sujet de la fin tragique des animaux soumis à l'épreuve du regard. A titre d'exemple, nous reproduisons le compte rendu
d'une expérience saisissante faite par l'auteur d'un ouvrage
curieux.[1]

« Prenez un crapaud, mettez-le dans un vase de verre ;
faites tourner ce vase, si cela est nécessaire, de façon à placer
le regard du crapaud en face du vôtre.

« Dès que la bête aura fixé ses yeux sur les vôtres, soyez
assuré qu'elle ne les quittera plus, et alors entre vous deux
un duel s'engagera ; il faudra que l'un des deux succombe,
soit d'une façon, soit d'une autre.

« Si le crapaud est le plus fort, vous risquez gros. Car il
peut vous arriver les pires désagréments ; il est toujours très
prudent, pour une personne qui voudrait tenter cette expérience, d'avoir auprès d'elle une ou plusieurs personnes très
au courant de l'hypnotisme ou du magnétisme, de façon à
pouvoir rompre le charme ; un seul geste suffit, mais encore
faut-il qu'il soit fait assez tôt.

« Si vous êtes seul, une fois entièrement sous le charme,
vous ne pourriez plus vous dégager, et le moins qu'il puisse
vous arriver de fâcheux : des convulsions qui pourraient en-

---

1. A. CHOQUET. — *Dans le domaine des Sciences Occultes.*

traîner la paralysie (partielle ou totale), la folie, peut-être pis encore. (Je ne me plais pas à exagérer).

« Si, au contraire, vous êtes le vainqueur, voici ce qui se passe : au bout d'un temps plus ou moins long — cela dépend de la puissance de l'expérimentateur, — le crapaud commence à faire tous ses efforts pour résister, puis il gonfle comme s'il avait été soufflé au moyen d'un soufflet, et ensuite il éclate.

« J'ai fait plusieurs fois l'expérience, et j'affirme qu'il faut une très grande force nerveuse pour résister à la bête ; c'est pourquoi je donne le conseil d'être prudent. Si vous prenez une grenouille, vous opérez de la même façon ; elle est moins dangereuse que le crapaud, moins résistante, mais cependant *n'expérimentez jamais seul,* c'est une prudente recommandation. La grenouille n'éclate pas lorsque la fin arrive, sa gueule s'ouvre, ses membres se raidissent et elle meurt. »

Nous avons nous-mêmes expérimenté l'action du regard fixe sur les grenouilles ; elles ne résistent pas longtemps, et quelques-unes meurent au bout de dix minutes d'épreuve.

En compagnie d'un officier anglais, nous avons expérimenté la puissance du regard sur un lézard vert de forte taille. Après avoir enfermé l'animal dans une cage d'oiseau vide, il fut soumis au regard de l'officier. Pendant, les dix premières minutes, il fit quelques mouvements, parcourut la cage, puis ses yeux s'étant fixés sur ceux de l'officier, il s'immobilisa. En quelques instants, il accusa nettement un état de souffrance, remuant la queue par petits mouvements spasmodiques, il ouvrit la gueule plusieurs fois, s'approcha de la paroi de la cage, comme attiré par l'opérateur, il se dressa pendant deux minutes sur ses pattes de devant, puis brusquement il s'effondra, il était mort.

L'expérience avait duré vingt minutes, au cours de laquelle l'officier avait senti ses forces nerveuses s'affaiblir de plus en plus. Il était tout en sueur, et il avoua s'être cru incapable de prolonger l'expérience, au moment où l'animal tomba comme foudroyé.

Instructives en soi, ces expériences relatives à l'action du regard fixe sur les animaux sont extrêmement dangereuses pour l'opérateur. Indépendamment de l'épuisement résultant de ses efforts soutenus de volonté, de la fatigue visuelle, il subit une influence pernicieuse émanant de la bête, dont le regard transmet peut-être une émanation nocive. Au cours de certaines de ces expériences, des opérateurs ont été pris de syncopes graves, avec la venue dans la bouche de goûts nauséabonds, dont ils se sont défaits avec peine. D'une mare générale, l'expérimentateur ne sort jamais indemne de telles expériences, et le moins qu'il puisse éprouver, ce sont des troubles visuels passagers, ou de désagréables maux de tête.

Véritables épreuves de résistance psychique, elles présentent un intérêt réel, pouvant s'accroître dans des proportions considérables par l'analyse des réactions qu'elles déterminent chez l'homme et chez les animaux. Mais s'il était possible de se livrer fréquemment à de telles épreuves, elles ne pourraient aucunement constituer un entraînement propre à exercer sur d'autres hommes l'influence du regard, car envers les bêtes, il faut user d'une grande dépense de volonté pour les vaincre, en visant un but bien différent de celui qu'on veut atteindre, en cherchant à influencer l'homme et, de plus, envers l'hom-

me, toute épreuve de volonté est nuisible et, comme nous
l'avons exposé, l'on doit, sous peine d'échec total, lui substituer le désir.

*
* *

Il semble donc avéré que le regard de l'homme, comme
celui des animaux, est un transmetteur d'énergie. Des expériences poursuivies de différents côtés ont montré qu'il était
possible à l'homme de donner à son regard et volontairement,
une puissance bienfaisante, destructive ou stérilisatrice, suivant qu'il se charge du rayonnement d'une pensée généreuse
ou d'une pensée hostile. Mais bien souvent l'action du regard
n'est pas volontairement dirigée, ni appliquée, elle est inconsciente et l'effet qu'elle produit, en rapport avec la pensée du
moment, n'est pas soupçonné et donne lieu à des sentiments
de sympathie ou d'antipathie, d'accord ou de désaccord, chez
les personnes en présence.

Le regard étant chargé d'énergie, d'une énergie dont la
nature ne peut se comparer à aucune des formes d'énergie
connues, mais d'origine psychique, est donc capable d'actions chimiques et d'actions mécaniques, comme nous l'avons
déjà indiqué. Parmi ces actions, quelques-unes présentent
un caractère étrange, par les résultats qu'elles donnent, en
suspendant la vie des matières organiques. Le professeur
Rahn, de l'Université de Corwell, spécialiste de la bactério-
logie, a constaté qu'il existait, dans le regard humain, des
radiations assez puissantes pour tuer des cellules actives de
levure. Il attribue, en outre, à ce regard, chez certains individus, supposés émetteurs de rayons ultra-violets d'une lon-

gueur d'onde variant de 0 μ 150 à 0 μ 380, un pouvoir sté-
rilisateur extraordinaire. De ce pouvoir nous ne doutons nullement, mais quant à l'existence de rayons ultra-violets dans
le regard humain, nous ne l'admettons pas, tant qu'une preuve évidente de leur présence n'aura pas été fournie. Il semble certain, en effet, qu'émis par les yeux, de tels rayons
devraient permettre à leur émetteur la vision des choses au-
delà du spectre visible, dans la région du violet obscur et,
de plus, comment concilier la possibilité d'une telle émission
avec la présence du cristallin, imperméable à l'utra-violet ?

Selon l'ingénieur Turenne, les yeux seraient émetteurs
d'ondes entretenues, pouvant être décelées et mesurées. Nous
posons à cet ingénieur la simple question : *mais comment ?*
Nous connaissons sa propension à trouver partout des ondes
diverses, et lorsqu'on sait avec quelle complaisance le pendule radiesthésique se plie aux conceptions les plus extrava-
gantes de l'imagination et subit l'influence de l'auto-suggestion, l'on est en droit de rester sceptique sur la valeur des
moyens mis en œuvre pour détecter et mesurer les ondes
imaginaires, dada favori des sourciers empiriques, dont tous
les efforts tendent vainement à accrocher à la physique leur
pseudo-science, dans laquelle ils perdent pied.

Nous devons signaler, comme effet du pouvoir stérilisa-
teur du regard, la momification de morceaux de chair, ou de
débris anatomiques. Des expériences dans lesquelles le regard était seul utilisé, par séances successives de deux heures environ, ont permis de les soustraire à la putréfaction,
au bout de dix séances. Parfois, à l'action du regard on
ajoute l'imposition des mains à courte distance. Il est encore
possible de réaliser la momification uniquement par l'action

de la pensée, mais peu d'individus sont capables d'une concentration assez grande pour l'obtenir. De tels faits démontrent qu'il y a dans l'homme des forces inconnues, dont la recherche et l'étude, et ensuite l'utilisation, modifieront peut-être dans l'avenir son étrange destin.

CHAPITRE IX

LES ABERRATIONS DU REGARD

La vue, comme les autres sens, est sujette à l'erreur, et d'autant plus qu'elle a une fonction plus étendue, plus universelle, dans un rayon d'action pratiquement sans limite. Le regard est bien souvent trompé par de fausses apparences, et sa puissance s'exerce quelquefois sur des objets sans intérêt et même inexistants.

Les erreurs d'observations sont nombreuses, et les erreurs d'interprétation sont fréquentes, car le regard ne voit souvent qu'une face des choses, dont l'aspect change suivant la manière dont elle s'illumine au gré d'une lumière changeante. Des illusions visibles naissent, se fortifient au sein d'une lumière douce et atténuée, pour disparaître quand leur objet se montre aux rayons crus de la lumière du jour.

Chacun a pu observer, en effet, combien les visages humains, par exemple, les visages féminins surtout, semblent rajeunis, lorsqu'ils sont éclairés par une lumière peu intense, riche en rayons rouges, laquelle atténue la pigmentation de la peau, les petites rides naissantes, adoucit les traits, rend le regard plus chaud et couvre tous les petits défauts d'un estompage généreux. L'œil le plus expert se laisse abuser par la beauté apparente de certaines carnations, et notamment dans les voitures du Métropolitain de Paris, où les lampes à filament de carbone sont encore nombreuses, l'on peut remarquer combien la physionomie des femmes ayant dépassé de peu la trentaine, tire un involontaire profit de la lumière, bénéfique à leur endroit, dispensée par ces lampes. Mais si un Lovelace entreprenant, séduit par un charmant visage, se risque à sa poursuite, bien souvent son illusion s'envole en haut de l'escalier de sortie, et sa déconvenue fait comprendre comment, si les erreurs d'observation dans la vision sont l'exception, pourquoi les erreurs d'interprétation sont la règle.

L'imagination, dans de nombreuses circonstances, favorisée par une insuffisance de lumière, est la cause immédiate d'un grand nombre d'erreurs ; par les interprétations qu'elle suscite dans l'esprit, à la suite des visions imparfaites dues à l'obscurité, elle est à l'origine de curieuses aberrations du regard. Elle fait naître parfois des illusions visuelles terrifiantes, comme en éprouve la nuit, par exemple, dans les campagnes, le voyageur attardé sur la route : les buissons, les troncs d'arbres aux formes noueuses et rabougries, prennent des aspects d'hommes aux aguets, prêts à fondre sur les passants ; s'il s'arrête, inquiet, il lui semble voir bouger ces formes et, constatant son erreur, il hâte néanmoins le pas pour s'en éloigner. Le pêcheur de nuit, le riverain d'une rivière déserte voient, dans le trouble et léger brouillard nocturne, des rayons lunaires se transformer en fantômes dansant derrière leurs suaires. Le factionnaire, l'arme dans sa main crispée, voit dans l'obscurité sinistre entourant la poudrière qu'il garde, loin du poste, des ombres menaçantes monter et descendre, semblant s'approcher, et pousse un soupir de soulagement lorsqu'on vient le relever. Toutes les illusions dues à l'insuffisance de lumière ont, en général, comme effet d'engendrer la peur, ou tout au moins une crainte vive et irraisonnée à propos desquelles Montaigne dit : « De vray, j'ay veu beaucoup de gents devenus insensez de peur ; et au plus rassis, il est certain, pendant que son accez dure, qu'elle engendre de terribles esblouïssements. Je laisse à part le vulgaire, à qui elle représente tantost les bisayeuls sortis du tumbeau, enveloppez de leur suaire, tantost des loups-garous, des lutins et des chimeres ; mais parmy les soldats mesmes, où elle debvroit trouver moins de place, combien de fois a elle changé un troupeau de brebis en esquadron de corselets ? des roseaux et des cannes, en gents-darmes et lanciers ? »[1]

Les fausses visions nocturnes, les aberrations du regard dues au travail de l'imagination, ont des effets déprimants, elles ébranlent momentanément l'équilibre mental et sont génératrices d'une frayeur virtuelle pouvant déclencher des troubles intérieurs plus graves ou des gestes dangereux.

Les illusions visuelles peuvent être naturelles, spontanées ou suggérées. Suggérées, elles tendent vers l'hallucination et, dans l'état hypnotique, comme on le verra plus loin, elles deviennent des hallucinations caractérisées. Dans l'hypnose, l'hallucination est facile à créer ; l'on peut imaginer une infinité d'expériences dans lesquelles le sujet voit, entend tout

---

1. MONTAIGNE. — *Essais,* livre I, chap. XVII.

ce qu'on lui suggère, et prend les attitudes et la mimique en rapport avec sa vision. Si on lui suggère qu'il est entouré de guêpes volant autour de sa tête, il prend une mine effrayée et fait des gestes pour les chasser.

L'illusion naturelle spontanée se produit chez des personnes à l'état normal, et résulte d'une erreur de vision, laquelle persiste, se développe, s'amplifie d'autant plus qu'on fait davantage d'efforts pour mieux voir la cause de l'erreur. L'illusion naturelle prend la forme collective, lorsqu'un plus ou moins grand nombre de personnes commettent, par contagion, la même erreur de vision. Nous nous souvenons qu'un soir, vers minuit, au mois d'août 1914, quelques jours après la déclaration de guerre de l'Allemagne à la France, nous nous trouvions sur la place de la Gare, à Lille, alors pleine de monde, lorsque nous vîmes de nombreuses personnes regarder le ciel très pur et très chargé d'étoiles. Un globe lumineux, brillant d'un vif éclat, retenait leur attention, et pour elles c'était, de toute évidence, le phare d'un dirigeable. Regardant à notre tour, et adoptant la suggestion venant de la foule, nous vîmes également ce phare avancer vers l'ouest. Rentré à notre domicile, un peu en dehors de la ville, ledit phare brillait toujours, mais tout en paraissant avancer, il nous semblait rester sur place. A l'aide d'une longue-vue puissante, nous reconnûmes la planète Vénus dans la plénitude de son éclat. Nous avions été victime d'une illusion du regard, provoquée par l'imagination, mise en jeu par l'attitude de la foule.

« Il est vraysemblable que le principal credit des visions, des enchantements et de tels effects extraordinaires, vienne de la puissance de l'imagination, agissant principalement

contre les âmes du vulgaire, plus molles ; on leur a si fort
saisi la creance, qu'ils pensent veoir ce qu'ils ne voyent pas. »[1]

*
* *

En hypnotisme, on peut produire, par suggestion chez un
sujet, des aberrations visuelles faisant apparaître sous son
regard des êtres et des choses inexistantes, mais qu'il voit
nettement, ou bien, au contraire, l'on peut lui supprimer la
vision des êtres et des choses existant réellement devant lui.

Ces aberrations, hallucinations visuelles réelles, sont remarquables d'intensité et d'exactitude dans leurs productions.
En suggérant au sujet qu'il se trouve en face d'un objet magnifique, il se le représente mentalement et le voit réellement devant ses yeux ; il prend une expression admirative
et, en face de tel ou tel détail, il adopte une attitude exta-
tique, en poussant des exclamations contenues.

Si on lui suggère qu'il est en présence d'une personne, il
agit comme si la personne était réellement présente ; il l'examine, lui prend les mains, la voit dans tous ses détails, ou si
aucune description sommaire ne lui en a été suggérée, il
trouve dans ses souvenirs l'image de quelqu'un, qu'il trans-
pose dans sa vision hallucinatoire, et il lui parle, il lui sourit,
entend ses réponses, converse comme il le ferait dans la
réalité.

La perception du regard résultant de la suggestion se fait

---

1. MONTAIGNE. — *Essais,* livre I, chap. XX.

normalement chez le sujet ; comme dans l'état normal, elle
crée des souvenirs visuels. Ainsi, si on lui présente un livre,
en lui suggérant l'existence d'une figure à une page déterminée, si l'on ferme le livre, il retrouve l'image qu'il a cru
voir et toujours à la même page. Une expérience très curieuse d'hallucination consiste à annoncer au sujet qu'on va
faire avec lui une partie de cartes, et on lui remet des morceaux de carton d'une couleur quelconque et uniforme, mais
de mêmes dimensions, qu'on lui présente comme étant des
cartes à jouer. Sur le verso de ces cartons, on trace au préalable, et à l'insu du sujet, un signe discret désignant la valeur de la carte. Le sujet voit seulement les faces vierges des
cartons, où rien n'est écrit ni dessiné, qu'on étale devant lui,
et sur lesquelles on lui suggère l'existence des figures normales d'un jeu de cartes ordinaire, on se reportant aux
repères tracés au verso. Le sujet examine attentivement les
cartons, pour bien retenir les figures ou valeurs qu'ils sont
censés supporter. On le prie de distribuer le jeu, et la partie
commence ; il jette sans hésitation ses cartes, mais il n'en va
pas de même pour l'opérateur, obligé de consulter discrètement les repères avant de jouer et d'une manière toute clan-
destine. Les choses vont assez lentement, mais où elles prennent une tournure amusante, c'est lorsque le sujet, quand on
retourne un peu de son côté la face vierge d'une carte, pour
voir le repère du verso, voit sur cette face vierge la figure
qu'on lui a suggérée ; il se fâche alors, en demandant pourquoi on lui montre telle carte avant de la jouer. Et ensuite,
jetées sur la table et mélangées, le sujet retrouve toutes les
cartes et les place rigoureusement, si on le lui demande,
dans leur ordre naturel de valeur et sans jamais se tromper.

La suggestion visuelle permet de réaliser des expériences pleines d'intérêt, en faisant voir au sujet les personnes et les choses autrement qu'elles ne sont. L'on peut ainsi lui présenter une personne très normale, comme affectée, par exemple, de claudication ; il vient immédiatement l'aider à marcher. Ou bien on lui suggère qu'elle est habillée de façon ridicule, de vêtements trop grands ou trop petits, aux couleurs voyantes ; il se livre aussitôt à des remarques, à des critiques sur la mise de cette personne, lui fait des reproches et l'engage à s'habiller plus correctement.

La suggestion visuelle peut s'appliquer à une infinité de cas, et le visage du sujet est susceptible de représenter toutes les formes de sentiments venant dans l'hallucination : l'amour, la haine, la crainte, la terreur, la peur, la colère, la joie, etc., et à l'état de veille il serait incapable de les traduire avec autant de fidélité et de vigueur comme dans l'hypnose.

Une expérience toujours intéressante est de suggérer au sujet qu'il est entouré d'animaux malfaisants, de rats par exemple, aussitôt il les voit et fait de grands gestes désordonnés pour les chasser ou pour leur échapper, mais c'est peine perdue, ils le suivent et il court se réfugier dans les angles de la chambre ; ses gestes s'accompagnent d'une sorte de halètement et de petits cris ; son visage exprime l'effroi et il semble dépenser une grosse somme d'énergie dans la manifestation de sa défense.

L'hallucination visuelle est un véritable rêve qu'on fait vivre par le sujet, dont toutes les modalités, tous les détails restent sous la dépendance de la volonté de l'opérateur. Pendant l'hypnose, il y a parfois des hallucinations et des rêves pénibles, dont le souvenir peut demeurer après le retour à l'état normal et, même en l'absence de souvenir, ils peuvent laisser une impression désagréable au sujet, dont l'esprit semble pénétré d'inquiétude, même de tristesse. Il faut, pour prévenir les effets post-hypnotiques de ces hallucinations, faire des suggestions appropriées au sujet avant de le réveiller.

Les hallucinations suggérées du regard n'ont aucun caractère morbide ; elles ne constituent pas, à proprement parler, des troubles psychiques et encore moins des troubles visuels ; ce sont des illusions, des aberrations volontairement produites au moyen de la suggestion, et dont les effets disparaissent totalement et très vite après le réveil opéré suivant les règles de l'art.

Avant d'aller plus loin dans nos démonstrations, nous devons faire ici une distinction indispensable. L'hallucination diffère de l'illusion en ce que, dans la seconde, il y a bien sensation, mais l'évocation, l'image mentale ne correspond pas à la sensation perçue. Dans l'hallucination, le sujet voit des choses sans existence réelle et elle se distingue du rêve parce qu'elle a lieu pendant l'état de veille. L'illusion est une erreur de l'esprit, faisant prendre l'apparence pour la réalité ; le mirage, par exemple, est une illusion visuelle.

*
**

L'hallucination est donc une image se formant dans l'esprit, indépendamment de toute sensation due à la présence d'un objet extérieur, mais ayant une netteté ou un relief et une apparence donnant la sensation de se rapporter à un objet réel. La sensation éprouvée en présence d'une personne, permet de constater cette présence, de n'avoir aucun doute sur son existence en dehors de soi-même, et lorsqu'on pense à une personne absente, l'on constate avec la même certitude que l'image que l'on se forme d'elle est intérieure, donc existant uniquement dans l'esprit. L'on peut remarquer une différence de même nature lorsqu'on chante en soi-même et lorsqu'on entend un chant exécuté par quelqu'un.

Lorsqu'on se représente volontairement des êtres et des choses divers, les images qu'on s'en forme absorbent peu les sens, ils restent donc sensibles aux impressions extérieures. Mais lorsqu'une sensation venue du dehors s'impose, l'on ne peut modifier ni sa nature, ni son action, alors qu'au contraire, les images créées par soi-même sont modifiables et destructibles, car elles dépendent tout entières de la volonté et de l'initiative individuelle. Pourtant, si à la suite de particularités affectant vivement l'esprit, une image gagne en intensité, en force, l'on n'en est plus maître, elle s'impose sans qu'on puisse lui résister ; elle captive toute la sensibilité et l'esprit devient incapable de ressentir les impressions extérieures. Bien entendu, l'amplification exagérée des images, si elle s'accompagne parfois d'un trouble mental passager, n'est pas considérée ici comme faisant sortir l'être de l'état normal ; il se présente seulement une différence de degrés entre le fait d'imagination, d'illusion et le fait d'hallucination. L'on peut très bien être en proie à une hallucination, sans pour cela s'acheminer vers la folie, et considérer l'hallucination comme inséparable de la folie est une erreur profonde, à laquelle croient seuls quelques esprits superficiels. Qu'il y ait incertitude quant à la nature de l'hallucination, on ne peut le nier, il en est, d'ailleurs, ainsi de beaucoup de faits dans le domaine psychique et mental, mais l'équivoque doit s'arrêter là.

Il est de plus prouvé, qu'en dépit de la force du fait hallucinatoire, l'esprit tente souvent de s'en dégager, car si la raison est paralysée en partie, elle conserve assez de vigueur pour analyser, comparer et comprendre comment les sens sont abusés et en particulier lorsqu'il s'agit du sens visuel. L'hallucination peut être génératrice d'erreurs d'appréciation et de jugement, peu différentes de celles qu'on commet bien souvent et ne dépendant d'aucune altération de l'intelligence.

Les causes favorisant la production des hallucinations sont diverses, et l'on sait combien le passage lent de l'état de veille au sommeil est favorable à la venue des troubles et erreurs sensorielles, des hallucinations dites hypnagogiques, en raison de leur formation sur le seuil du sommeil. Lorsque l'esprit est fatigué par une tension excessive et de longue durée, par une veille prolongée, il ne réagit plus, il perd son automatisme régulateur et devient accessible à l'hallucination. Qui n'a éprouvé un sentiment bizarre de dépaysement lorsque, le soir en particulier, l'esprit est absorbé par une lecture passionnante, par la recherche d'une idée dans un travail de composition littéraire, par la poursuite d'une solution ; pendant le travail de l'esprit, on perd la notion du monde extérieur, l'on vit dans l'ambiance où l'on s'est placé, et soudain, sous l'action d'un réflexe de l'esprit, l'on quitte la matière absorbante et, pendant une ou deux secondes, on a l'impression d'être loin d'où l'on est, en un lieu indéterminé, et il faut un petit effort pour revenir à la réalité ; il y a là un phénomène d'hallucination fugace, dont la cause en est bien en soi-même, n'étant la conséquence d'aucune influence extérieure.

L'hallucination prendrait un caractère morbide si elle était fréquente, de plus en plus fréquente, alors la folie serait l'aboutissant naturel probable des crises, mais pour en arriver là, il faut présenter une tare congénitale, une hérédité suspecte, ou s'être soumis longtemps à un régime contraire au besoin et à l'équilibre de la nature humaine. L'halluciné permanent a bien souvent passé par l'idée fixe, dont la cause peut être recherchée dans un désir de vengeance non assouvi, dans une jalousie à l'égard d'une parenté présentant les apparences du bonheur, dans une ambition déçue, dans des rêves irréalisés, dans des illusions nées d'aspirations trop hautes, dans la conscience qu'on a d'un manque de moyens, d'initiative, de courage pour parvenir et, dans un sens plus noble, d'un excès de préoccupations, de remords lancinants parce qu'on n'a pas voulu consentir à réparer les fautes commises, au préjudice moral ou matériel de quelqu'un, d'un chagrin qu'on ne cherche pas à combattre, de suggestions dangereuses qu'on a reçues. Et l'on arrive ainsi à un état de susceptibilité où tout ce qu'on entend, et surtout tout ce qu'on voit, enchante, affecte douloureusement ou irrite violemment, suivant qu'il y a accord ou incompatibilité avec l'état d'âme prépondérant. Cet état d'âme se caractérise par la production d'images mentales, déterminant des aberrations du regard, lorsque leur intensité et le degré de surexcitation du sujet le conduit à voir la projection de ces images à l'extérieur, alors qu'en réalité elles sont toutes en lui-même. Ses souvenirs, extraits souvent faussés d'une mémoire en désordre, contribuent aussi à la formation de ces images et ne

forment pas le contingent le moins actif alimentant ses hallucinations.

*
* *

Dans la formation des images mentales issues des souvenirs, l'exactitude des choses représentées est essentiellement
due à la manière dont ces choses ont affecté les sens et dont
les sens les ont perçues. En général, l'image est un phénomène reproduisant la sensation passée, mais en l'affaiblissant
toujours. Si, par exemple, l'on a parcouru un monument,
l'on s'en forme une image mentale, on le revoit en esprit,
mais dans sa forme générale, sans faire revivre tous les détails qu'on a eu sous les yeux pendant la visite. Les images
résultant du jeu des sens, il y a autant de variétés d'images
qu'il y a de sortes de sensations. Les cinq sens chargés de
recueillir les impressions venant du monde extérieur, peuvent reconstituer les sensations, mais avec des intensités très
différentes, et lorsqu'on parle d'images, l'on sous-entend qu'il
s'agit surtout de celles résultant de la fonction visuelle, de
l'action du regard.

L'image est, en effet, essentiellement un assemblage matériel de formes, au contour plus ou moins précis, capables
d'être saisies par l'œil et reconstitué mentalement. L'image
visuelle prédomine dans le souvenir et, lorsque la pensée fait
retour vers le passé, lorsqu'elle revient vers des lieux qu'on a
connus, où l'on a vécu, mais dont on est éloigné dans le
présent, elle fait naître immédiatement l'image de ces lieux,
avec les êtres et les choses qu'ils contenaient autrefois. L'on
revoit des personnes avec lesquelles on était en rapport, et

bien des circonstances ayant plus ou moins affecté la sensibilité réapparaissent. L'on reconstitue les gestes, les attitudes,
les paroles, et les incidents divers se trouvent ramenés par
voie d'association d'idées. La vue préside au jeu des autres
sens et se trouve mêlée à leur action, ils agissent, d'ailleurs,
par intermittence, jamais tous à la fois, mais la vue ne cesse
jamais son exercice. D'une manière continue le regard est
appelé à voir ce qu'on touche, ce qu'on mange, ce qu'on
entend, ce qu'on juge et l'on conçoit, pour en recevoir des
impressions exactes, qu'il est nécessaire de bien voir et
qu'une défaillance du regard est toujours à la base d'une
erreur de jugement.

A l'état normal, l'on voit les yeux ouverts, les rayons
lumineux, mais l'on ne voit pas les yeux fermés, et si l'on
ne voit plus, l'on peut encore imaginer ce qu'on a vu et
avec une telle intensité et une telle ressemblance, un tel
aspect de vérité qu'on désigne le produit de l'imagination
sous le nom d'hallucination. L'hallucination est si voisine,
relativement à l'impression qu'elle cause, de l'impression
causée par un objet réel, qu'on la définit comme étant une
sensation sans cause extérieure, sans objet.

Entre les formes excessives de l'hallucination existant
chez les sujets normaux, il y a différents degrés, dont l'un
des plus souvent rencontrés est *l'illusion* dont nous avons
déjà parlé et dans laquelle la représentation mentale correspond presque toujours à l'existence d'un objet, mais dans
l'illusion la représentation n'est jamais exacte, par suite d'une
erreur de vision, d'une aberration du regard. Ainsi, par
exemple, quelqu'un dit : « J'ai vu tel objet », alors qu'il
n'existe pas ; c'est un phénomène d'hallucination. Une autre

personne dit : « J'ai vu tel objet », alors qu'elle en a vu un autre ; elle est victime d'une illusion.

Les illusions sont d'une extrême fréquence dans la vie, surtout celles dépendant de la vision ; elles sont à la base de tous les témoignages erronés, de toutes les confusions d'objets, de personnes, et de nombreuses contestations n'ont pas d'autres causes. L'observation rationnelle des faits doit, comme l'observation des individus, savoir éliminer à l'avance les erreurs visuelles et, à l'égard des hommes, l'on y parvient d'autant mieux qu'on connaît les causes et le mécanisme de ses réactions psychologiques.

*
**

Dans l'homme, le corps traduit l'âme, parce que le corps ne peut vivre sans âme et réciproquement l'âme ne peut vivre sans le corps... tout au moins dans l'existence ayant été infligée à l'homme sur la Terre. Le corps et l'âme en état de solidarité complète s'influencent et réagissent constamment l'un sur l'autre. Le corps est donc le moyen d'expression de l'âme et leurs relations constantes, tout en restant chez les individus théoriquement semblables, diffèrent néanmoins beaucoup dans ses effets apparents. Certains hommes ont une physionomie très expressive, d'autres apparaissent nettement fermées. Il y a des organisations dans lesquelles les impressions demeurent localisées ; ce sont des tempéraments sans souplesse, lents et pesants, pouvant faire confusion avec ceux possédant le calme et la puissance à l'excès.

Dans les premiers, la physionomie ne laisse rien connaî-

tre, rien deviner. D'autres organisations, au contraire, se livrent tout entières, la plus petite émotion les met en branle.
Dans un même individu, la qualité, l'intensité, la fréquence,
l'éclat de ses expressions sont sous la dépendance de la cause mentale ou physique agissant sur lui et toute dépense de
force nerveuse en excès, s'accomplit en premier lieu dans
les muscles de la face, d'où les jeux immédiats de la physionomie, avant de déclencher d'autres gestes.

Les expressions du corps et de la physionomie suivent
parallèlement les expressions du langage, si bien qu'en de
nombreuses circonstances, pour exprimer un sentiment par
les mouvements du visage, il n'y a qu'à reproduire par le
langage les métaphores dont use la parole, pour dépeindre
ce sentiment. Si, par exemple, l'on veut exprimer de l'admiration pour quelqu'un, il suffit d'employer la mimique physique de l'admiration. L'on dit encore : « pur comme un
lys ». Un lys n'est pas plus pur qu'une autre fleur, mais
l'on fait allusion à la blancheur immaculée, lorsqu'on veut
indiquer l'état d'innocence d'un enfant ou d'une personne.
C'est, d'ailleurs, par une tendance au symbolisme, véritable
besoin de la nature humaine, qu'en toute circonstance et à
propos de tout, l'on use de comparaisons. Et c'est dans leur
exactitude qu'on discerne la subtilité et la valeur du jugement. Il est probable, de plus, que le symbolisme imprégnant
le langage est issu de celui servant au corps à exprimer les
états et les mouvements de l'âme.

La pensée, en effet, s'accompagne toujours de représen-
tations mentales, d'images, lesquelles déterminent le mouvement du sens l'ayant fait naître et de l'organe de ce sens.
Cela ne signifie pas qu'on puisse lire sur la physionomie

toutes les pensées, les mouvements lui étant consécutifs ayant lieu non en surface, mais en profondeur et leur intensité demeure assez faible pour ne pas troubler le jeu de l'attention, ni celui de l'intelligence. Lorsque les idées défilent dans l'esprit sans confusion et assez vite, le corps se met en position d'attention sans effort, les gestes sont contenus ou inexistants, le regard reste calme et les yeux demeurent normalement ouverts. Au contraire, lorsque les idées sont confuses, complexes, difficiles à démêler le regard paraît sans objet, fixe dans l'espace, semblant chercher à saisir un objet fuyant. Les mains tournent l'une sur l'autre, les doigts semblent pétrir ou broyer quelque chose, comme pour diviser, amincir, anéantir cette chose, matérialisant peut-être la difficulté avec laquelle lutte l'intelligence, soluble souvent, fraction par fraction, lambeau par lambeau. Et lorsqu'elle est résolue, tout l'organisme satisfait adopte aussitôt une position de détente, les gestes s'arrêtent et le regard reprend sa mobilité.

« Lorsque l'homme développe ses idées sans obstacle, sa marche est plus libre... Lorsqu'un doute important s'élève soudain, il s'arrête court... Quand on change d'idée, on change d'attitude. Si, par exemple, cherchant quelques faits intellectuels, un homme regarde en bas et ne trouve pas, ses yeux changeront de direction ; il regardera en haut. »[1]

Il est certain qu'en manifestant une volonté, l'on se sent poussé à agir, à préparer l'action et l'action commence dès la manifestation de la volonté, tout au moins chez les indi-

---

1. ENGEL. — *Lettres sur les gestes et sur l'action théâtrale.*

vidus normaux et il convient de ne pas confondre la volonté avec la velléité de vouloir, existant en permanence chez les paresseux et les faibles et ne conduisant à rien.

L'expérience de Chevreul sur le pendule, est une illustration de l'action des idées et de la pensée sur les muscles de la main et des doigts, c'est une preuve locale d'une action générale. Le mouvement volontaire de l'œil, par exemple, a son retentissement sympathique dans l'organisme entier. Mais s'il y a seulement une tendance virtuelle, sans manifestation extérieure, lorsque l'esprit saisit cette tendance, il en est influencé et se livre à différentes spéculations réagissant sur le corps.

L'on voit donc par l'analyse des causes de réactions psychiques, combien l'observation de l'homme par l'homme s'en trouve facilitée par l'élimination des erreurs visuelles, relatives à une fausse interprétation des réactions apparentes.

CHAPITRE X

LIMITES
DE LA PUISSANCE DU REGARD.
LES ILLUSIONS VISUELLES

L'historien grec Flavius Arrien, en parlant du plus précieux des sens impartis aux hommes par la nature, et aux animaux aussi d'ailleurs, dit : « Est-ce donc sans intention que Dieu t'a donné les yeux ? Est-ce donc sans intention qu'il a mis en eux un principe de vie si puissant et si subtil, qu'ils vont chercher au loin les objets visibles pour s'en former des images ? Est-ce sans intention encore qu'il a donné à l'air intermédiaire de telles qualités et une telle vertu, qu'en agissant sur lui d'une certaine façon, les objets arrivent jusqu'à nous ? Est-ce sans intention qu'il a fait cette lumière qui, si elle manquait, rendrait inutile tout le reste. »[1] Et dix-huit siècles plus tard, la lumière trouve

---

1. Flavus ARRIEN. — *Entretiens d'Epictète.*

toujours des chantres, pour célébrer ses mérites et les esprits
les plus orientés vers le matérialisme moderne, savent trouver des accents poétiques pour parler d'elle : « O Lumière,
déesse radieuse et bienfaisante, qui répand sur tous la joie
et la beauté, qui inspire l'artiste et fournit au sage le thème
d'inépuisables méditations, tu n'es jamais redoutable et ne
règne point par la crainte. Tout ce qui vit t'aime et te cherche. Ceux qui ne te connaissent pas s'efforcent à te concevoir et ceux que tu abandonnes ne peuvent se consoler de
t'avoir perdue. »[1]

Le sens de la vue a toujours été considéré par les hommes
comme le plus merveilleux des instruments d'observation.
Toutefois, la vue, comme toute chose dans l'homme, possède aussi des imperfections qu'aucune des expressions les
plus orgueilleuses du regard ne peut compenser. Parmi ces
imperfections, en dehors desquelles nous tenons les anoma-
lies constitutionnelles, il en est une assez étrange, consistant
dans la facilité avec laquelle l'œil se laisse tromper par certaines apparences, se laisse illusionner plutôt, et nous allons
en fournir quelques preuves, en donnant plusieurs exemples
de ce qu'on appelle les illusions d'optique.

Mais en raison de ses caractéristiques de fonctionnement,
de sa sensibilité, de l'inertie de la rétine et de sa rémanence,
une autre catégorie d'erreurs visuelles en résulte.

Une première sorte d'illusions a un caractère essentiellement graphique et provient de la forme et de la composition
des figures examinées par l'œil. Une seconde sorte dépend

---

1. A. Boutaric. — *La lumière et les radiations invisibles.*

de la rémanence de la rétine, produisant la persistance des impressions ; c'est un phénomène d'inertie nerveuse et se remarquant à l'occasion du mouvement des corps, des figures ou de la fixation du regard sur des surfaces colorées.

Pour comprendre comment peut se produire la première sorte d'illusions, il faut savoir qu'en vertu du pouvoir moteur des images, c'est-à-dire de l'influence de la forme des figures sur l'esprit, l'œil, agent récepteur de ces images, subit lui-même cette influence, en ce qu'elle détermine un réflexe oculaire faussant la vision. Ce réflexe est d'autant plus important que l'image contient des contrastes plus grands, ou des lignes dont la direction détermine une impression de convergence, de divergence, de resserrement ou d'écartement, de coupure, d'empilement en hauteur, ou d'extension en largeur.

Fig. 12

L'on peut se rendre compte, par l'examen des figures ci-contre, combien les apparences sont ici différentes des réalités. Mais il convient de remarquer comment l'image soumise à l'examen du regard, agit directement sur la sensibilité, sans formation d'une image mentale matérialisant l'impression sensorielle dans l'esprit, image agissant en liaison entre les sens et l'esprit.

L'on voit sur la figure 12 une bande noire épaisse, traversée obliquement par un trait fin, contrastant avec la bande ; un second trait surmonte le trait fin à gauche. La ligne inférieure à gauche est dans le prolongement de la ligne *a*

et non le trait la surmontant ; cependant l'œil est bien illu-
sionné, en ce qu'il voit la ligne supérieure de gauche pro-
longeant la ligne *a*.

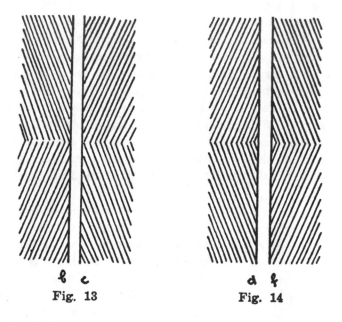

Fig. 13　　　　　　　　　Fig. 14

Sur la figure 13, les lignes *b* et *c* sont parallèles, mais les
lignes obliques à gauche et à droite donnent une impression
de convergence aux extrémités des lignes centrales, d'où il
semble qu'elles se rapprochent vers leurs extrémités.

Sur la figure 14 le même phénomène se produit en sens
inverse, les lignes *d* et *f* sont parallèles, mais les lignes laté-
rales obliques donnent une impression de divergence, d'où
les lignes centrales semblent s'écarter vers les extrémités.

L'on peut détruire de telles illusions en procédant comme dans les figures 15 et 16, dans lesquelles les lignes centrales *g* et *h* ont été écartées à leurs extrémités et les lignes *i* et *j*

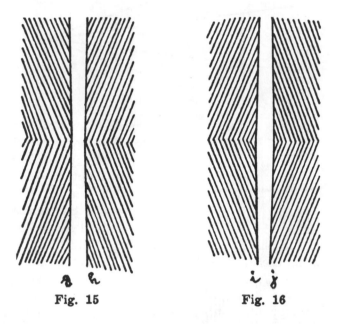

Fig. 15   Fig. 16

rapprochées ; elles ne sont donc pas parallèles, mais les effets des lignes obliques compensent leurs déformations. L'on a donc ici été amené, pour faire disparaître une cause d'illusion, à en créer une autre.

Sous une autre forme, la figure 17 donne une illustration du même phénomène. Par rapport à l'angle intérieur, l'angle extérieur semble diverger, les deux traits verticaux contenus dans ces angles sont exactement de même longueur, alors qu'ils paraissent de longueurs différentes, proportionnelles à l'ouverture de chaque angle.

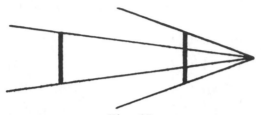

Fig. 17

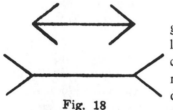

Fig. 18

La figure 18 montre deux lignes de même longueur, mais la ligne supérieure paraît la plus courte par l'effet de resserrement produit par les flèches, dont l'ouverture est tournée en dedans et la ligne inférieure semble être plus longue par l'impression d'écartement fournie par les flèches, dont l'ouverture est tournée en dehors.

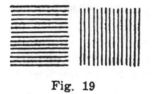

Fig. 19

Enfin la figure 19 représente deux carrés de mêmes dimensions ; celui de gauche est rempli de lignes horizontales, donnant l'idée d'un empilement en hauteur ; par lui-même ce carré semble plus haut que large. Le carré de droite, garni de lignes verticales, produit un effet d'espacement, d'extension en largeur et par lui-même paraît moins haut que large. Les deux carrés mis à côté l'un de l'autre semblent inégaux, le plus haut était celui de gauche et le plus bas celui de droite.

L'étude des illusions d'optique présente un intérêt réel, dépassant celui de la simple curiosité. Cette étude a, dans quelques cas particuliers, des conséquences pratiques relativement importantes. Dans les arts décoratifs, dans l'architecture, dans la conception des objets mobiliers, dans l'ameublement et même dans la mode, l'on doit tenir compte des effets disgracieux, inharmoniques, choquant l'art et le goût, de certaines dispositions matérielles, adoptées par traditions erronées ; c'est ainsi qu'on croit communément en matière de costume, qu'un tissu rayé, dont les lignes sont placées dans le sens vertical, grandit les personnes qui le portent, alors qu'au contraire les rayures placées horizontalement le grossissent : c'est là une erreur d'appréciation dont sont victimes beaucoup de gens. En se reportant à la figure 19, l'on voit comment les lignes horizontales superposées donnent l'illusion de croître en hauteur et les lignes verticales de s'étaler en largeur ; la même illusion se produit pour les tissus rayés, et bon nombre de personnes, croyant s'amincir, s'habillent de rayures verticales et, sans s'en douter, se grossissent davantage.

La puissance du regard peut se développer par l'exercice et l'éducation, d'une manière extraordinaire, dans le domaine psychologique, mais elle trouve sa limite lorsqu'elle s'exerce dans le domaine plus objectif de la vie pratique.

En effet, à côté des illusions matérielles trompant le regard, il existe tout un ordre de faits justiciables de la vision, dans lesquels on aurait intérêt à voir vite et exactement, mais où le regard se heurte à des contrastes, à des enchevêtrements en présence desquels il est contraint de ralentir son action, pour se ressaisir, s'il veut discerner avec exactitude. L'œil ne peut, en effet, voir d'un seul coup tous les détails complexes, analyser les combinaisons de lignes, d'angles, de hachures pouvant exister dans un objet, dans une image, car il ne peut

Fig. 20

voir fixement qu'une seule chose à un instant considéré. Nous donnons ici deux exemples pour montrer comment le regard est arrêté dans ses facultés de discernement en présence d'images quelque peu complexes.

La figure 20 représente le schéma d'un labyrinthe formé par un carrelage existant autrefois à Saint-Omer (Pas-de-Calais), dans l'église de Saint-Bertin. Il a été détruit depuis longtemps. C'était une œuvre remarquable d'ingéniosité artistique et il est impossible à l'œil, comme on peut le constater, d'en saisir immédiatement la succession des méandres. Le chemin à suivre pour le parcourir était formé de carreaux

Fig. 21

blancs, enchâssés dans un fond de carreaux noirs. Le départ est au milieu et en bas de la figure, en *A,* et le terminus au centre.

La figure 21 est un autre specimen de carrelage, donnant l'illusion d'être formé par un assemblage de cubes, dont la fixation par l'œil ne permet pas de reconnaître immédiatetent une particularité curieuse du dessin. En effet, suivant la manière de le regarder, on trouve dans le même espace sept ou huit cubes entiers. Il faut une application soutenue du regard pour discerner les deux séries de cubes. En regardant les cubes par dessus, l'on en trouve sept et en les regardant par dessous l'on en trouve huit. Mais en fixant l'une ou l'autre série, l'œil passe facilement et involontairement d'une série à l'autre.

*
* *

Il est en dehors de notre programme de nous étendre sur les propriétés physiologiques de l'œil, faisant partie de l'occulistique, mais nous devons indiquer combien la puissance du regard est liée à la grandeur de l'acuité visuelle et au pouvoir séparateur de l'œil. Cette puissance est abaissée pour les acuités faibles, mais se relève lorsque l'œil est exactement corrigé par des verres appropriés. La présence des verres n'a aucune influence sur les propriétés psychologiques du regard, lesquelles bénéficient simplement de l'amélioration de la vision.

L'œil, comme nous l'avons dit au début de ce chapitre, possède dans la rétine une certaine rémanence dûment constatée depuis longtemps et ayant fait l'objet de démonstrations nombreuses, et la raison de dispositifs optiques pour l'utiliser. Et nous dirons ici, comme disait Tartarin, à propos de Napoléon imitant Thémistocle : « ...l'humanité est si vieille, si encombrée, si piétinée ! On y marche toujours dans les traces de quelqu'un... »[1]. Quoi qu'il en soit, il n'est pas sans intérêt d'examiner comment est utile cette rémanence réti-

---

1. Alphonse DAUDET. — *Port-Tarascon,* livre III, chap. I.

nienne, sans laquelle bien des faits capitaux, en s'accomplissant comme ils le font actuellement, deviendraient insupportables à l'homme. Ainsi, par exemple, l'éclairage électrique à courant alternatif, fonctionnant à la fréquence de 50 périodes par seconde, c'est-à-dire ayant une valeur nulle cinquante fois par seconde, en alimentant les lampes, produit cinquante extinctions par seconde. Si donc l'œil humain ne présentait pas de rémanence, il percevrait les extinctions et les rallumages successifs, et l'on est en droit de se demander quelles pourraient en être les conséquences sur le système nerveux. La persistance des impressions lumineuses sur la rétine, permet une liaison permanente des périodes éclairantes des lampes, et donne l'illusion d'une continuité parfaite de la lumière. Sans cette bienfaisante rémanence rétinienne, le cinématographe n'aurait pas pu être inventé, car l'œil distinguerait les coupures séparant chaque cliché du film et sa projection utile deviendrait impossible.

La rémanence de la rétine est la cause d'illusions visuelles utilisées dans quelques applications. Chacun a pu faire dans son enfance une expérience avec une allumette dont la flamme était éteinte, mais dont l'extrémité était encore en ignition. Tenant cette allumette entre les doigts, on décrivait un cercle dans l'espace avec la main ; en la déplaçant lentement, l'on pouvait suivre le point lumineux de l'allumette dans son déplacement, mais en accélérant la vitesse de rotation de la main, il arrivait un moment où l'on avait la vision, à partir d'une certaine vitesse, d'un cercle lumineux continu, comme si l'allumette occupait au même instant tous les points de la circonférence. Or, comme elle pouvait seulement occuper tous ces points successivement, la continuité du cercle lumineux était due, à n'en pas douter, à la persistance de l'impression lumineuse sur la rétine, cette impression n'ayant pas cessé en un point considéré, lorsque l'allumette revenait à ce point, après avoir fait un tour.

La durée maximum de l'impression est proportionnelle à l'intensité de la lumière la produisant. Pour des faibles lumières, comme celle fournie par l'allumette sans flamme, elle est à peu près de un dixième de seconde. La sensibilité de l'œil pour la lumière est très grande et la rétine perçoit des éclairs dont la durée est inférieure au millionnième de seconde, mais elle les perçoit à cause de leur grande intensité lumineuse. Par contre, des objets mobiles se déplaçant avec une vitesse moindre, comme un obus au cours de sa trajectoire, ne peuvent être perçus, car ils possèdent une luminosité trop faible pour impressionner la rétine. Mais un météore traversant la voûte étoilée avec une vitesse supérieure à celle de l'obus, est nettement perçu et donne l'impression de laisser derrière lui une traînée lumineuse ; c'est, en somme, l'expérience de l'allumette renouvelée à l'échelle de notre univers sidéral.

La persistance des impressions rétiniennes a donné lieu à des dispositifs de caractère amusant, dont nous ne pouvons, sans sortir du cadre de notre ouvrage, donner la description. Ce sont, en général, des dessins dont les différentes parties semblent se réunir pour former des images complètes, lorsqu'on imprime un mouvement de rotation à leur support ; ou bien ce sont des figures représentant des mouvements décomposés de personnages s'animant lorsque l'on fait tourner la surface sur laquelle ils sont appuyés. Ces dispositifs, dont quelques-uns sont fort anciens, ont reçu des noms assez baroques, ayant la prétention de se montrer respectueux de l'étymologie ; c'est ainsi qu'on a connu le Phénakisticope, le Taumatrope, le Fantascope, le Zootrope et plusieurs autres dont s'est délecté l'enfance de nombreux individus.

Les différents appareils propres à créer des illusions visuelles, ou tirant parti de la rémanence de la rétine, lorsqu'ils sont bien construits, réalisent des combinaisons nombreuses de mouvement d'images accompli d'une façon parfaite. On peut leur donner des dimensions relativement considérables et si leur principe avait été connu des prêtres de l'antiquité, il n'est pas douteux qu'ils l'eussent mis à profit dans des appareils propres à impressionner les foules. Les temples étaient, en effet, des lieux prédestinés pour créer des illusions dont se nourrissaient les fidèles, et celles qu'on eut pu tirer de la persistance des impressions rétiniennes eussent dépassé en puissance toutes les autres : apparitions mouvementées et fantastiques, substitution rapide de personnages et d'objets, manifestations subites de la volonté des dieux, etc.[1]

Les illusions provoquées par ces appareils sont d'autant mieux acceptées qu'en leur présence, les yeux de l'observateur se placent d'une manière automatique, inconsciente, dans la position la meilleure pour voir avec netteté. De plus, l'attention pendant la vision s'immobilise en particulier sur un objet, quelle qu'en soit la distance de l'œil. Si, par exemple, on porte le regard sur une chose placée derrière un grillage se trouvant entre cette chose et l'observateur, à peu près au milieu de la distance les séparant, l'œil, en fixant la chose,

---

1. Antoine Luzy. — *L'Occultisme en face de la Science et de la Philosophie,* chap. XII (épuisé).

n'a du grillage qu'une vision confuse et l'œil fixe ensuite le grillage, la chose à son tour apparaît confusément.

En réalisant l'expérience avec attention, on remarque un fait curieux : l'objet vu confusément, donne toujours lieu à une vision double. L'on peut s'en rendre compte facilement, en plaçant entre les yeux et un objet situé à une faible distance, un crayon tenu verticalement et en fixant l'un après l'autre le crayon et l'objet.

Chacun a pu constater, lorsque le regard est porté sur un objet, qu'en exerçant avec le doigt une pression sur le côté extérieur du globe de l'œil, l'image de l'objet apparaît double et si la pression tend à pousser l'œil vers le haut, l'image double se forme au-dessous de l'objet et si l'œil est poussé vers le bas, cette image se forme au-dessus. L'on explique un tel phénomène en constatant qu'en déplaçant l'axe de l'œil sur lequel on appuie, l'image de l'objet ne se forme plus sur la rétine au point où elle se forme dans la vision normale, la coïncidence habituelle des images fournies par chaque œil n'existant plus, l'image de l'objet paraît double. Il en est de même pour la vision d'un objet avec grillage ou crayon interposé : lorsque les yeux se sont placés pour voir à une distance déterminée, les deux images résultant d'un objet situé plus près ou plus loin ne frappent plus les points correspondants de la rétine, et chaque image est rapportée par l'opérateur à un objet différent.

*
**

Voltaire a dit avec raison : « Des goûts et des couleurs on ne peut discuter », car en fait, les choses plaisant aux uns

ne doivent pas forcément plaire aux autres. Si les goûts
n'étaient pas variés, le monde périrait d'ennui dans une morne
uniformité. En général, sur la question des couleurs, tout le
monde est d'accord pour reconnaître que l'herbe est verte,
le ciel bleu et le drapeau français bleu, blanc et rouge. Pourtant, si quelqu'un affirmait voir le ciel jaune, l'herbe rouge,
comment pourrait-on prouver qu'il ne dit pas vrai ?

Une telle supposition semble évidemment étrange, mais
pourtant n'est-il pas possible qu'une couleur pour l'un, soit
différente pour l'autre ? Le fait de désigner la couleur de
l'herbe comme verte et la couleur du ciel comme bleue, n'implique pas la même identité de ces couleurs pour tout le
monde. L'on nomme verte la couleur de l'herbe parce qu'on
a appris dès le jeune âge à la désigner ainsi, et la désignant on éprouve une sensation bien définie, qu'on reproduit toujours lorsqu'on parle de la même couleur, mais cela
ne prouve nullement qu'une notion de la couleur verte chez
certaines personnes ne corresponde pas à la vision de la
couleur jaune ou rouge, qu'ils ont dès l'enfance pris l'habitude de nommer vert. Pour une même désignation des
couleurs, les sensations ressenties par plusieurs personnes
peuvent donc être très différentes.

Les couleurs n'ont pas par elles-mêmes une existence
propre, ce sont des apparences, dépendant de la réflexion de
la lumière et elles disparaissent dans l'obscurité. Les couleurs
ne peuvent se décrire, on peut se les représenter seulement
par comparaison avec des objets dont la couleur est connue.
On dit, par exemple, ce tissu est orange, en pensant à la
couleur des oranges ; mais si l'on dit : cette étoffe est bleue,
l'on voit le bleu en esprit, mais si l'on ne connaissait aucun

objet bleu, l'on ne pourrait donner la notion du bleu à quelqu'un n'ayant jamais vu une telle couleur.

Toutes les teintes sont données par la combinaison des trois couleurs fondamentales : bleu, jaune et rouge. Le bleu et le jaune donnent le vert, le jaune et le rouge donnent l'orangé, et le bleu et le rouge donne le violet. La réunion du bleu, du jaune et du rouge donnent du blanc. Bien entendu, les couleurs fondamentales considérées ici sont celles obtenues par les radiations colorées de la lumière blanche décomposée par le prisme. Les couleurs fournies par la chimie ne présentent jamais les qualités nécessaires pour reconstituer le blanc pur, elles ne donnent qu'un blanc approximatif.

Une couleur est dite complémentaire, lorsqu'elle est nécessaire pour compléter une combinaison, de manière à former le blanc ; ainsi, le vert étant la combinaison du jaune et du bleu, le rouge est la couleur complémentaire du vert.

Les *spectres oculaires,* ou couleurs accidentelles, sont un des phénomènes les plus curieux dus à la rémanence de la rétine ; ils forment une des plus étranges illusions visuelles et toutes les personnes ont pu en constater l'existence dans leurs propres yeux.

Lorsqu'on regarde fixement pendant quelques instants et d'assez près un morceau de papier rouge, en portant les yeux sur du papier blanc, celui-ci paraît vert. Une telle illusion provient de l'imprégnation de la rétine pour le rouge, l'obligeant à voir, même sur le blanc, tout, sauf le rouge, soit le bleu et le jaune, dont la combinaison donne le vert. L'œil, imprégné de rouge, voit donc sur le blanc la couleur complémentaire du rouge. Mais en quelques instants, la rétine retrouve sa sensibilité normale pour toutes les teintes.

Les illusions causées par la vision des couleurs spectrales ont parfois des conséquences inattendues. C'est ainsi qu'un jour, étant occupé depuis plusieurs heures à copier des notes sur des feuilles de papier vert, l'on introduisit dans notre bureau un de nos amis. Levant les yeux pour le recevoir, nous ne pûmes nous empêcher, en voyant son visage, de lui dire : « Mais qu'avez-vous donc aujourd'hui ? Vous allez avoir une attaque d'apoplexie, vous êtes rouge-violet. » Devant une réception aussi imprévue, notre ami s'en fut vers un miroir, puis revint en nous fixant d'un œil inquiet, se demandant si nous ne subissions pas une certaine dépression du côté de notre entendement. Le regardant à nouveau, son teint nous parut plus rassurant, nous lui demandâmes alors s'il se sentait mieux. Ne comprenant rien à notre question, il répondit : « Je ne me suis jamais senti mal, mais vous-mêmes, cher ami, vous m'inquiétez avec vos questions ; pourquoi ne feriez-vous pas analyser vos urines ? » Soudain, comprenant tout, nous partîmes d'un brusque éclat de rire, rendant encore plus perplexe notre ami, mais pas pour longtemps, lorsque nous lui eûmes expliqué comment le papier vert sur lequel nous écrivions était l'auteur de notre méprise.

*
* *

Si le regard est un puissant agent de transmission des émanations de la pensée, l'œil d'où il jaillit est, par contre, le centre collecteur de toutes les émanations lumineuses venant des êtres et des choses, et l'on ne se doute souvent guère de quelle influence bienfaisante ou nuisible elles peuvent imprégner l'esprit ou l'organisation nerveuse. En effet, l'on vit sans cesse au contact d'objets dont les formes, les proportions, les teintes plaisent ou déplaisent, captivant ou repoussant, en exerçant sur l'imagination une action excitante ou déprimante. Or, celle qu'on nomme « la folle du logis » est une faculté fantasque et capricieuse au possible, et méritant par cela même bien son nom. Bienfaisante ou nuisible, utile ou dangereuse, elle est alimentée par les sens, mais c'est par le sens de la vue qu'elle recueille le plus d'éléments pour composer ses innombrables productions, ses innombrables fantaisies. L'imagination apporte à l'esprit des visions, comme si elle était pour lui un organe visuel fonctionnant en concurrence avec l'organe visuel du corps et dont il prend souvent la place avec une telle perfection, qu'il est impossible à l'esprit de s'en apercevoir. Mais l'œil de l'esprit peut se confondre avec l'œil du corps, la rétine étant le lieu où convergent les impressions agissant sur l'esprit et celles agissant sur le corps.

Dans une organisation bien équilibrée et sans tare, les deux sortes d'impressions se distribuent harmonieusement sur la rétine. Chez les individus normaux, les images mentales peu accentuées n'ont qu'une faible durée et elles n'ont pas le pouvoir de se substituer aux images venant des choses extérieures perçues par le regard. D'ailleurs, toutes les discussions, toutes les tractations relatives aux préoccupations de l'existence, seraient impossibles à poursuivre si les souvenirs d'autrefois affluaient d'une manière inopportune et intense au milieu d'un débat d'affaires ou d'intérêt, au cours de l'élaboration d'un jugement. Un dualisme d'impressions contraires ou simplement opposées, ne peut pas se former, le filet nerveux apportant par hypothèse à la rétine les images émanant de la mémoire, ne peut pas simultanément transmettre au cerveau les impressions venant du monde extérieur ; l'esprit est incapable, sans tomber dans la confusion, de percevoir deux images distinctes en même temps et, s'il s'applique à reconnaître l'une d'elles, c'est au détriment de l'autre, dont l'effacement se produit aussitôt. Toutefois, les images différentes et contraires peuvent se succéder très rapidement dans l'esprit, et l'on a constamment l'occasion de constater, au cours d'une conversation, pendant l'étude ou la lecture, combien souvent des pointes arrivant de la mémoire viennent, on ne sait pour quelles raisons, se placer devant les images mentales formées normalement par le mouvement d'idées créé par l'occupation actuelle. Ainsi, par exemple, si l'on est dans un musée, en train d'examiner un tableau représentant un personnage illustre, et qu'au même instant, où toute l'attention est concentrée sur ce tableau, un réflexe subit de la mémoire, produit sans cause apparente, vient superposer à la vision du tableau l'image merveilleuse du Mont Saint-Michel, le tableau en état d'image rémanente sur la rétine disparaît pendant un instant, comme si son image émanait d'elle-même d'un souvenir et, pendant cet instant, la vision du Mont Saint-Michel devient distincte, mais un peu estompée et imprécise et, lorsqu'elle s'éteint, l'image du tableau se reconstitue aussitôt sur la rétine.

L'obscurité, la solitude et le silence sont éminemment favorables à la production des images mentales ; lorsque le monde extérieur n'est pas à même d'apporter des images positives à l'esprit, les images mentales venant du fond individuel prennent le maximum d'intensité et de netteté. Mais leur valeur en précision, en exactitude, atteint son plus grand

développement chez les personnes se livrant aux travaux
intellectuels, par suite de leur entraînement à concevoir dans
l'abstraction. Les travaux de l'esprit absorbent, parfois, à un
tel point qu'ils tiennent en inhibition tous les sens et, lorsqu'on suit le fil d'une pensée, l'agitation extérieure n'a pas
le pouvoir de faire quitter le rêve qu'on est occupé à vivre,
car c'est bien un rêve l'état d'indifférence inconsciente où
l'on se trouve pendant le travail de l'esprit, pour toutes les
choses étrangères à l'idée qu'on poursuit.

Parmi les impressions visuelles venant des choses extérieures, il en est, comme nous croyons l'avoir dit, d'agréables et de désagréables, d'utiles ou de nuisibles, mais où ces
impressions sont dangereuses, c'est lorsque leur nocivité produit sur l'individu des effets dont il n'a pas conscience, et il
y a là un cas d'une fréquence assez grande dans la vie pratique. La nature des impressions visuelles dépend de l'apparence des choses, de l'harmonie qu'elles dégagent, de la
sympathie ou de l'antipathie qu'elles provoquent, de l'attraction ou de la répulsion qu'elles inspirent. Ainsi, par exemple,
dans le choix d'un tissu destiné à faire un costume, l'on
trouve des variétés considérables de dessins, de nuances, de
texture, en présence desquelles on procède tout de suite à
une élimination. L'impression causée par certains d'entre eux
est nettement désagréable, et l'on souffrirait dans sa sensibilité si l'on devait s'en vêtir. Dans d'autres circonstances,
on est séduit ou choqué par certaines dispositions de carre-
lages, dont les combinaisons de dessins et de teintes peuvent
faire naître une fatigue visuelle, même causer une sorte de
vertige. Il en est de même du papier peint recouvrant les
murs des appartements, et un grand nombre de personnes

sont, sans s'en douter, victimes de dispositions décoratives recouvrant ce papier. Nous avons personnellement éprouvé un malaise très net devant le papier dont était tapissé la salle à manger d'un de nos amis ; de conception dite « moderne », il comprenait des contrastes violents, heurtés de teintes : des plaques noires hideuses, de forme tarabiscotée, s'insinuaient entre des plages argentées, sur lesquelles s'étalaient les pétales de fleurs énormes, allant du rouge brique au violet ardent, fleurs imaginaires et monstrueuses, créées par un esprit malade, dont l'œuvre eut trouvé sa destination dans une chambre de torture pour des malheureux condamnés à la folie. La dame de notre ami vint un jour nous faire part de ses craintes, au sujet de maux de tête fréquents dont se plaignait son mari, et de crises d'hallucination, dont elle se sentait fort effrayée. Elle-même parfois, éprouvait des troubles étranges de vision, qu'elle n'avait jamais ressentis avant d'habiter leur appartement actuel. Nous nous occupions alors de thérapeutique suggestive et étions habitué à la recherche des causes se trouvant à l'origine des cas nous étant soumis. Nous souvenant de l'effet produit sur notre propre sensibilité par le papier peint de la salle à manger de notre ami, nous établîmes immédiatement un rapprochement entre cet effet et les troubles qu'il ressentait et dont le traitement nous parut très facile à trouver. Nous lui conseillâmes donc de changer ce papier et de le remplacer par un autre, d'une teinte plutôt claire, portant des dessins très sobres, très atténués. Huit jours après le changement ainsi suggéré, la crise nerveuse dans laquelle se débattait nos amis était conjurée, et ils apprirent par la suite pour quelles raisons les personnes les ayant précédés dans leur appartement, l'avaient quitté. A la suite de crises nerveuses identiques à celles qu'ils avaient subies, le médecin leur avait conseillé d'aller habiter la campagne, mais sans avoir trouvé la cause de leur mal, laquelle était uniquement dans l'horrible papier dont ils subissaient sans s'en douter la néfaste influence.

Un grand nombre de troubles nerveux, dont les origines ne peuvent se découvrir, dépendent de circonstances insoupçonnées : particularités d'éclairage, mauvaise disposition du mobilier, aération insuffisante, présence d'objets obsédant par leur forme ou leur couleur, émanations nocives du sol, affectant seulement les étages inférieurs, etc. Mais de toutes ces causes, ce sont celles ayant des rapports directs avec la vision, dont il faut le plus se méfier. L'illusion visuelle ne consiste pas seulement dans l'interprétation fausse qu'on peut être appelé à concevoir, à la suite d'une vision inexacte ou incomplète, mais encore dans la croyance à l'inocuité de certains dispositifs affectant la vue (1).

---

1. On pourra lire avec intérêt l'ouvrage de A. et J. Passebecq : La Santé de vos Yeux (coll. « Santé Naturelle », Editions Dangles).

CHAPITRE XI

LE REGARD DANS LES RÊVES.
LE MYSTÈRE DE L'IRIS

Il peut sembler étrange de considérer le regard comme capable d'agir, lorsque l'être est endormi, les paupières bien closes, perdu, peut-être, dans des rêves plus ou moins cohérents et lorsque toutes les facultés conscientes et en particulier la volonté, sont paralysées par le sommeil. Pourtant, c'est pendant le sommeil qu'indépendamment de l'activité mentale régulière, une activité intérieure seconde fonctionne, conduite par l'imagination, comme nous allons le voir ; mais entre les deux formes de l'activité mystérieuse de l'esprit, il y a une cloison étanche, permettant à l'inconscient de travailler en paix, dans le calme et le silence des nuits, sans être affecté par le déroulement des rêves ; c'est lorsque toutes les facultés agissantes sont en état de repos, qu'il peut procéder à la maturation des idées, à l'élaboration des solutions cherchées vainement par l'intelligence, et quelque-

fois il juge à propos d'éclairer dans ces rêves la trame obscu-
re de certains événements, ou de révéler des faits devant
s'accomplir dans un avenir plus ou moins prochain. Les
rêves issus de l'inconscient ont une cohérence remarquable,
ou quelquefois, lorsqu'ils ont un caractère prémonitoire, ils
se bornent à la présentation d'une image fixe toujours très
claire, très détaillée et très exacte, mais d'une durée extrêmement courte ; c'est pourquoi bien souvent ils ne laissent
aucun souvenir conscient. C'est dans les rêves venus de
l'inconscient, où l'imagination n'a nulle part, que le regard
joue un rôle réel des plus extraordinaires. Mais avant d'examiner en quoi consiste son action, l'on va voir, dans un
substantiel raccourci, comment se comporte l'esprit pendant
le sommeil, chez les individus normaux.

Dans le sommeil, tous les organes se reposent par le ralentissement ou l'arrêt des mouvements, mais le cerveau en
est le principal bénéficiaire. Les facultés de l'esprit peuvent
s'en trouver affectées dans une certaine mesure, pendant un
temps de faible durée limité par le réveil. Toutefois, l'imagination et la mémoire continuent à jouer normalement et
avec une indépendance plus grande qu'à l'état de veille : ce
sont elles les grandes pourvoyeuses des rêves. Pendant le
sommeil, l'attention se relâche, la conscience s'assouplit et
la volonté devient incapable d'efforts ; les associations d'idées
se font au hasard et résultent souvent d'impressions sensorielles confuses, dues à des incidents extérieurs affectant la
vue, l'ouïe, le toucher et quelquefois l'odorat. La plupart des
associations formées dans le sommeil en dehors des impressions sensorielles, sont analogues à celles se développant
dans la folie ; elles sont provoquées par l'imagination en

délire et laissent souvent, après le réveil, une contrainte mentale, lorsqu'un rêve extravagant demeure dans l'esprit.

L'imagination est d'autant plus à l'aise pour agir pendant
le sommeil, qu'aucune des causes capables de la freiner ne
peut intervenir. A l'état de veille, elle est dominée par les
perceptions et les sensations du moment, l'évocation des souvenirs, la réflexion, le raisonnement et la succession des images mentales lui laisse peu de place pour interposer ses
créations fantaisistes. Elle entre en jeu seulement lorsqu'on
fait appel à ses merveilleuses possibilités, et elle se montre
d'autant plus féconde qu'on sait la guider, la diriger et lui
fournir des éléments sur lesquels elle peut s'appuyer pour
entrer en utile fermentation.

Nous avons exposé dans notre ouvrage : *L'Occultisme en
face de la Science et de la Philosophie,* qu'il n'y avait pas de
sommeil sans rêve, mais qu'il y avait au réveil de nombreux
rêves oubliés. Quoi qu'il en soit, dans les rêves, les images
semblent appartenir à la réalité ; le réel et l'imaginaire se
confondent, il n'y a plus d'opposition entre les sensations du
moment et les images venant du fonds individuel. Les productions de l'esprit se présentent comme si elles étaient apportées par le monde extérieur, et il est tout naturel qu'il en
soit ainsi, puisque le monde extérieur ne fournit rien, sauf
les impressions sensorielles confuses. Aucune rivalité n'existe
entre l'imagination et la conscience, et l'être endormi ne
réagit en aucune façon pour analyser ses sensations ; toutes
les pensées lui venant, contrairement à ce qu'il ferait dans
l'état de veille, au lieu de les considérer comme émanant de
ses réflexions, il les considère comme les recevant de l'extérieur, comme amenées par des suggestions étrangères. Les

images se forment sans contrôle et se succèdent sans lien logique, et dans une incohérence dont le rêve est forcément imprégné. Les associations d'images dans le rêve ne se forment pas comme les associations d'idées dans l'état de veille ; les rapprochements faits par le hasard, quelles que soient leur fugacité et leur insignifiance, s'ils consistent dans une analogie de sens, de forme, de consonance dans les mots et de ressemblance plus ou moins vague dans les choses, servent à des enchaînements, où se succèdent les images les plus disparates, les plus invraisemblables.

Nous donnons un exemple d'enchaînement bizarre au cours d'un rêve fait par l'auteur d'un ouvrage déjà ancien, auquel nous l'empruntons : « Je pensais au mot *kilomètre,* et j'y pensais si bien que j'étais occupé en rêve à marcher sur une route où je lisais les bornes qui marquent la distance d'un point donné, évaluée avec cette mesure itinéraire. Tout à coup je me trouve sur une des grandes balances dont font usage les épiciers, sur un des plateaux de laquelle un homme accumulait des *kilos,* afin de connaître mon poids. Puis, je ne sais trop comment, cet épicier me dit que nous ne sommes plus à Paris, mais dans l'île de *Gilolo,* à laquelle je confesse avoir très peu pensé dans ma vie. Alors mon esprit se porta sur l'autre syllabe de ce nom ; et changeant en quelque sorte de pied, je quittai la première et me mis à glisser sur le second, et j'eus successivement plusieurs rêves dans lesquels je voyais la fleur *lobélia,* le général *Lopez,* dont je venais de lire la déplorable fin à Cuba ; enfin je me réveillais en faisant une partie de *loto.* Je passe il est vrai quelques circonstances intermédiaires, dont le souvenir ne m'est pas assez présent et qui ont vraisemblablement aussi des assonances semblables pour étiquettes. Quoi qu'il en soit, le mode d'association n'est pas moins ici manifeste. »[1]

L'on conçoit qu'en présence d'associations aussi fragiles, l'imaginaton puisse, dans les rêves, faire défiler rapidement toute une succession d'images plus ou moins cohérentes. Cette succession est même tellement rapide, qu'elle confine à l'instantanéité ; et des rêves apparaissant fort longs, s'accomplissent parfois en quelques secondes. Nous en avons donné un exemple saisissant dans un autre ouvrage désigné plus haut. Mais la durée apparente des rêves n'est constatée qu'au réveil, lorsque, reprenant le cours de la pensée et de la réflexion normales, l'on repasse les souvenirs laissés par ce rêve et sur les circonstances duquel on s'attarde, comme on le fait pour l'examen de tous les faits, de toutes les idées assiégeant l'attention et l'esprit.

*
**

Si l'imagination commande en maîtresse dans le sommeil en vertu du repos de l'activité mentale consciente, il est des fonctions de l'organisme dont le travail ne cesse pas, et en particulier celles tenant de la continuité de la vie ; des troubles passagers peuvent affecter le fonctionnement de quelques organes et influer sur le caractère des rêves, comme le font les impressions sensorielles dont nous avons parlé ; ces sensations, lorsqu'elles sont de faible durée, s'éteignent sans donner lieu à aucune répercussion, mais souvent l'imagina-

---

1. Alfred MAURY. — *Le Sommeil et les rêves.*

tion les utilise, soit pour les introduire dans un rêve commencé, soit pour en former des rêves nouveaux et elles lui servent à créer des images où la sensation se retrouve transformée, mais réellement existante. Ainsi, si quelqu'un pénètre avec une lumière dans la chambre d'une personne endormie, le sens de la vue n'étant pas aboli par le sommeil, la lumière reste perceptible au travers des paupières. La sensation lumineuse n'est pas suffisante pour produire le réveil, mais elle peut faire naître un rêve, dans lequel elle joue un rôle ; le rêve d'un incendie, par exemple, ou d'une fête comportant des illuminations. Une pression anormale sur un pied du dormeur, exercée par les couvertures ou un vêtement déposé sur son lit, affecte le toucher et peut donner lieu à un rêve dans lequel on se voit victime d'un accident, comme une roue de voiture passant sur un pied, ou bien l'on se voit dans une excursion, gêné dans la marche par un pied blessé, etc. Il nous est arrivé de rêver d'un enterrement pour avoir entendu en dormant sonner une horloge ayant le son d'une cloche lointaine ; cela nous est arrivé au cours d'un voyage, dans une chambre d'hôtel. Après notre réveil nous ne pensions plus à notre rêve, lorsque la sonnerie de l'horloge au dehors en ramena le souvenir.

Mais les sens physiques ne sont pas seuls affectés par les causes extérieures pendant le sommeil, la sensibilité morale elle-même est capable de subir l'influence de certaines actions mentales et de déterminer la formation de rêves, dans lesquels l'imagination intervient, mais sans agir pour déformer la cause du rêve, comme si elle se trouvait en dehors de son atteinte. C'est ainsi qu'un jour, en rentrant de voyage, nous apprîmes qu'un de nos amis, malade et alité, avait manifesté le désir de nous voir. Nous nous rendîmes chez lui, assez tard dans la soirée, et reçu par sa femme, elle nous conduisit dans sa chambre : il dormait. Ne pouvant lui parler, nous le regardâmes silencieux pendant quelques minutes et, pour ne pas troubler son repos, nous partîmes en promettant de revenir le lendemain.

En arrivant chez lui, nous le trouvâmes réveillé et fort dispos. Ses premières paroles furent pour nous annoncer qu'il avait fait un rêve très agréable, dans lequel il nous avait vu le regardant fixement, comme nous l'avions fait la veille pendant qu'il dormait. S'étant réveillé peu après notre départ, sa femme lui avait appris notre visite, et il avait dit aussitôt vivement : « Ça c'est drôle, je viens de rêver de lui, il me regardait et son regard me faisait beaucoup de bien. » Il n'est donc pas douteux qu'il devait son rêve à l'action de notre regard, laquelle avait retenti sur sa sensibilité mentale. Son imagination avait apporté quelques broderies, mais sans pouvoir modifier dans le rêve notre propre image.

L'on peut donc constater combien, pendant le sommeil, l'imagination saisit tous les éléments, même les plus faibles, offerts par le jeu des sens assoupis, pour assurer son existence mouvementée, mais combien aussi elle est impuissante à assimiler pour ses propres besoins, les forces émanant de l'activité mentale consciente ou inconsciente.

L'action du regard sur les personnes endormies du sommeil naturel est très réelle, et nous avons pu, bien des fois, en constater les effets. Nous n'irons pas, comme l'a fait un auteur, jusqu'à admettre la propriété de l'œil d'émettre des ondes entretenues, car en vérité, l'on ne sait pas si l'émanation des yeux, transportée par le regard, se transmet sous la forme ondulatoire, et il est très imprudent de voir des ondes partout, comme le font quelques auteurs, dont l'embarras serait très grand s'ils devaient apporter la preuve de ce qu'ils affirment. Mais il est certain qu'une énergie est transmise par le regard et qu'elle agit sur l'homme en état de veille comme au cours du sommeil. Cette énergie, d'origine mentale, ne présente aucune analogie avec les différentes formes connues d'énergie, et semble bien contenir les éléments de la pensée, lorsqu'il existe une intention chez la personne émettant le regard. Et lorsque le regard n'est chargé d'aucune pensée, d'aucune intention et qu'il demeure fixe, il perçoit quand même, mais dans une forme voisine de l'hallucination.

On peut, d'ailleurs, par expérience, constater dans quelques circonstances, dans les moments de vacuité spirituelle, quand l'esprit erre, flotte dans une sorte de rêve éveillé, comment le regard fixe distingue, sur les objets où il porte, des formes diverses et surtout des figures, et même des expressions caricaturales. Les dessins des rideaux garnissant les fenêtres, les décors du papier peint, et à l'extérieur, les masses de feuillage des arbres, la fumée produisant souvent des profils, parfois même animés par les mouvements de l'air et qu'un regard fixe et vide saisit, et d'autant plus vite qu'il lui est nécessaire, pour satisfaire à une loi de nature, de combler son vide par quelque chose possédant sinon la vie mais, du moins, les apparences de la vie. Ici l'imagination intervient encore pour ajouter ses dentelles et ses broderies à l'illusion du regard et il en sort des associations plus ou moins burlesques ou truculentes.

Il est certain qu'en portant un regard vide de pensée sur une personne endormie, l'on n'exerce sur son esprit aucun effet, alors qu'au contraire il est possible, et nous l'avons vérifié par de nombreuses expériences à la portée de tout le monde, de suggérer des rêves d'une nature bien déterminée, pour apaiser un sommeil agité, pour faire naître des images mentales agréables, dont le souvenir après le réveil peut avoir, sur les idées et l'activité consciente, la plus heureuse influence. Les mamans savent bien, lorsque leurs bébés dorment mal, lorsqu'ils donnent des signes d'agitation, dus souvent à des petites souffrances, combien, en s'approchant du berceau sans faire de bruit, leur regard fixé quelques instants sur le petit être, produit son apaisement, ramène le calme, car ce regard contient une pensée et un désir favorables au sommeil de l'enfant.

*
* *

Si le regard d'une personne éveillée a le pouvoir d'agir sur une personne endormie, il est des cas d'apparence paradoxale où une personne peut, comme nous le verrons plus loin, pendant son sommeil, influencer par son regard une autre personne endormie.

La nature de l'homme contient des côtés tellement mystérieux qu'il ne faut pas s'étonner d'un tel phénomène, dont la réalité est prouvée par des exemples saisissants et, en s'inspirant de ces exemples, peut-être pourrait-on arriver à provoquer volontairement la formation de rêves se déroulant sur des sujets choisis à l'avance. Il est possible, en hypnotisme, d'imposer à un sujet, au moyen de la suggestion, d'avoir à rêver de telle chose ; c'est là une suggestion post-hypnotique dont l'accomplissement a lieu, comme pour toute autre suggestion à réalisation différée. Et le sujet, au réveil, expose qu'il a rêvé la chose lui ayant été suggérée. Il ne semble donc pas impossible d'arriver par auto-suggestion et par un entraînement approprié, à rêver à des choses qu'on a fixées à l'avance et ainsi l'on peut espérer soustraire le rêve à l'action de l'imagination. Indépendamment du résultat de caractère psychique intéressant obtenu par le rêve volontaire, il est à présumer qu'on pourrait obtenir, dans une telle sorte de rêve, des révélations intéressantes de l'inconscient, sur des points ne pouvant pas être éclaircis directement par des efforts d'intelligence, pendant l'état de veille.

Comme nous l'avons indiqué plus haut, nous allons donner des exemples d'influence du regard pendant le sommeil normal, et l'un d'eux, vraiment prodigieux, nous a été fourni par un de nos anciens élèves, ayant suivi nos études psycho-physiologiques. Au cours d'une visite qu'il nous fit à la suite d'un rêve extraordinaire, il nous l'exposa dans le récit suivant : « Hier matin je me réveillais courbaturé, comme si je n'avais pas dormi, après une journée de dur labeur. Or, il n'en était rien, la veille j'avais vaqué paisiblement à mes occupations habituelles et j'avais conscience d'avoir profondément dormi toute la nuit. D'où venait donc mon sentiment de fatigue ? J'en étais à réfléchir, lorsque subitement le souvenir d'un rêve m'éclaira. Dans ce rêve, j'avais eu une terrible discussion avec une dame de ma connaissance. Je me sentais furieux et j'avais conscience d'avoir voulu faire fléchir mon antagoniste sous la pression de mon regard, en employant toutes les ressources de ma psychologie. Je réussis, en effet, à la subjuguer, mais il restait un point obscur dans mon souvenir : quel était le motif de la discussion ? Là il y avait un trou dans ma mémoire, mais pour me sentir aussi abattu, j'avais dû dépenser une grosse somme d'énergie nerveuse. Encore sous l'impression de mon rêve, je repris mon activité coutumière et, dans le courant de l'après-midi, je reçus, à mon grand étonnement, la visite de la personne avec laquelle je m'étais disputé en dormant. En la voyant entrer, je ressentis un réel embarras, et sa contenance inhabituelle me prouva qu'elle n'était pas très à son aise elle-même. Interrogée sur le but de sa visite, elle hésitait à répondre ; enfin, après s'être assise sur mon invitation, elle me demanda, en me fixant dans les yeux, si j'avais passé une bonne nuit. Je lui répondis par la même question. Elle me dit alors avoir passé, tout en dormant, une nuit atroce, ce fut son expression, et c'était pour cela qu'elle était venue me voir, car elle était convaincue qu'un rêve comme celui qu'elle avait fait, où elle m'avait vu dans un état de fureur épouvantable ,avec des yeux fulgurants de colère et de haine, ne pouvait pas avoir eu lieu sans cesse, sans une cause grave : « Oh ! ces yeux, oh ! ce regard, dit-elle, jamais je ne les oublierai. »

« — Madame, lui dis-je, j'ai eu un rêve identique au vôtre ; je me souviens d'avoir employé toute la puissance de mon regard à vous dominer et j'y ai réussi. Ce rêve m'a beaucoup fatigué, mais je vous avoue en ignorer l'origine. Il n'est certainement pas dû à mon imagination et sa netteté, son intensité semblent qu'il vient ou de mon inconscient, ou du vôtre, et qu'il y a eu entre nos deux activités mentales un rapport télépathique, cela est certain, mais pourquoi ?

« — Monsieur, me dit-elle alors en baissant les yeux, je suis coupable envers vous et, si je raisonne en appliquant vos théories sur la justice immanente, mon inconscient, sous la poussée de mon remords, est à l'origine d'un rêve en moi, ayant trouvé une résonance en vous, ou bien votre inconscient, très exercé par vos travaux psychologiques, a-t-il discerné ma culpabilité et a-t-il provoqué le rêve de notre dispute.

« — Madame, votre hypothèse est très vraisemblable, mais sans vous demander quel tort vous avez envers moi, je suis heureux qu'une faute, dont vous exagérez, sans doute, la gravité, m'ait donné l'occasion de constater combien le regard pouvait en rêve conserver de puissance. Toutefois, veuillez me dire quel est le motif de votre remords, si vous ne devez pas trop en souffrir.

« — Voici, dit-elle, je vous ai calomnié d'une manière méchante auprès d'une personne, il y a déjà quelque temps, avant de vous mieux connaître ; mais depuis, ma conscience me reproche ma conduite et mon remords est devenu de plus en plus obsédant, au point de troubler mon repos, et je crois bien qu'étant donné mon trouble permanent et mon état d'esprit, tournant à l'idée fixe, mon rêve et le vôtre ont une commune origine dans ma mauvaise action.

« — C'est probable, Madame, mais l'aveu de votre faute l'efface, n'en parlons plus. »

Et, ayant terminé son récit, notre élève s'en alla, en nous laissant très intéressé par son rêve.

Vers la fin de l'année 19.., nous reçûmes un jour la visite d'un jeune homme d'environ vingt-cinq ans, désirant nous soumettre son cas, véritablement peu ordinaire et, parmi les circonstances nombreuses et diverses dont nous avions eu à nous occuper, nous n'avions jamais vu un cas semblable. En bonne santé, robuste, travailleur, ce jeune homme poursuivait ses études à la Faculté des Sciences de L... Il dormait d'un sommeil normal, mais depuis quelque temps, il était poursuivi par un rêve, dont les circonstances se modifiaient, mais dans lequel il y avait toujours un homme dont le regard le persécutait. Cet homme, toujours le même, s'obstinait à fixer le dormeur d'un œil sévère et dur, sans faire un geste, sans prononcer une parole. Son visage, d'une grande netteté, auıait permis de le reconnaître s'il avait été rencontré dans la foule.

Afin de trouver un moyen efficace de débarrasser notre visiteur de l'obsession de ce regard, nous lui demandâmes s'il ne connaissait pas quelqu'un ressemblant au personnage de ses rêves. Sur sa réponse négative, notre idée fut qu'il devait être en butte à des sollicitations, à des appels mentaux d'une personne inconnue de lui, mais désirant peut-être sa présence. Nous le priâmes alors de nous dire s'il était en correspondance avec une ou plusieurs personnes, sans les avoir jamais vues. Il nous dit qu'il correspondait avec un parent éloigné, habitant l'étranger, probablement assez fortuné, mais qu'il n'avait jamais rencontré ; il avait été mis en rapport avec lui par une de ses parentes et, depuis lors, il avait à plusieurs reprises reçu de pressantes invitations à se rendre chez lui. Comme il y avait là une possibilité de découvrir l'origine de l'influence subie par notre client, nous lui conseillâmes de demander à son parent l'envoi de sa photographie. Trois semaines plus tard, le portrait était arrivé ; il représentait bien la personne vue en rêve par le jeune homme. Peut-être pensait-elle la nuit, dans l'insomnie, intensivement à son jeune parent ; toujours est-il qu'après la réception de son image, les rêves cessèrent.

*
**

L'œil humain, organe plein de mystère, serait non seulement, suivant un cliché un peu usé le miroir de l'âme, mais encore, en se plaçant à un point de vue morbide, le miroir du corps.

Nous tenons d'un de nos amis une histoire assez curieuse, faisant connaître comment fut découvert un nouveau procédé propre à diagnostiquer les maladies.

Un médecin autrichien traversant un jour, au cours d'une de ses tournées, une région assez sauvage, fut attaqué par un oiseau de proie de forte taille, qui s'abattit sur son poignet gauche, qu'il avait soulevé, dans un geste instinctif, pour se protéger le visage. D'un regard terrifié, le médecin fixait cet oiseau dans les yeux, afin de prévenir tout mouvement meurtrier de la bête. Sentant qu'aucun effort se serait capable de faire lâcher prise au rapace, il eut la pensée de prendre, de sa main droite libre, son couteau placé dans la poche droite de son pantalon ; il réussit à s'en emparer et à l'ouvrir. L'immobilité de l'oiseau favorisait ses mouvements. Saisissant alors son couteau par le manche, il en porta un coup énergique sur une de ses pattes, laquelle fut presque tranchée, l'oiseau lâcha prise et tomba. Mais, au moment même où il fut touché par la lame tranchante, le médecin eut le temps de percevoir dans ses yeux l'arrivée fulgurante sur l'iris d'un mince trait de sang. Très observateur, un tel phénomène lui suggéra une réflexion de la plus haute importance : l'iris de l'œil, dont le fonctionnement merveilleux, sous l'influence de la lumière, est d'une sensibilité extrême, serait-il le siège où apparaissent différentes réactions morbides de l'organisme ? Ces réactions laisseraient-elles des traces permanentes ? Tout un champ nouveau d'expériences parut donc s'ouvrir au praticien, et dès lors il se consacra à l'étude de sa nouvelle conception. Une longue série d'observations lui permit de découvrir dans l'iris de l'homme les signes non douteux d'un grand nombre d'affections et le diagnostic en serait irréfutable.

Nous savons qu'il existe des médecins et des guérisseurs appliquant la méthode du médecin autrichien. Ils observent l'iris en s'aidant d'une forte loupe, mais nous ne pouvons formuler aucune opinion sur la valeur de leur procédé.

Quoi qu'il en soit, et nous en parlons par expérience, l'œil ne représente pas seulement les mouvements de l'âme, mais encore, et avec plus d'exactitude peut-être, pour un observateur prévenu, l'état de fatigue et même de santé de l'organisme. L'iridodiagnostic ne serait, au fond, qu'une interprétation plus précise de la propriété de l'œil d'être affecté par l'altération de l'équilibre fonctionnel des principaux organes.

L'iris n'est donc pas seulement sensible à l'action de la lumière, et sa coloration ne serait nullement un fait du hasard ; elle a des causes profondes dont nous ne pouvons faire l'examen ici, causes d'ailleurs assez peu connues, même des spécialistes de l'œil. Au point de vue psychologique, l'iris serait le révélateur de certains sentiments, pour un observateur très expérimenté, et dans la conversation, les excès d'imagination seraient révélés par un irido-réflexe agis-

sant sur sa teinte, comme le sang colore subitement la face
dans certains états émotifs, résultant de la timidité, de la
honte, de la pudeur. La vérité aurait donc pour elle un au-
xiliaire indicateur incorruptible dans l'iris, mais il serait à
souhaiter qu'elle en eût beaucoup d'autres, car en tous temps,
en tous lieux et à propos de tout, elle rencontre dans l'homme et trop souvent, un terrible adversaire et, comme le dit
judicieusement le docteur Julien Bezançon dans *Les jours de
l'homme* : « La vérité est un fruit qui met longtemps à mû-
rir. »

CONCLUSION

Pour faire naître l'émotion chez les autres, par l'exposé des émotions diverses qu'on a éprouvées soi-même, il est insuffisant d'avoir joui ou souffert, ou même d'avoir conservé le souvenir ardent des joies ou des douleurs ; il faut parvenir à maîtriser ses propres émotions et ne pas s'attarder à considérer en quoi elles touchent le plus la sensibilité de soi-même, mais il faut savoir découvrir en soi-même les choses capables d'intéresser les autres, de les mettre à l'unisson de ses propres sentiments.

Dans l'ébranlement sympathique qu'on cherche à créer chez les autres, la puissance du regard est un agent des plus précieux, car il parle une langue comprise par le cœur et pénétrant jusqu'à l'âme.

Nous avons essayé de faire connaître toutes les propriétés et toutes les possibilités du regard, étant convaincu qu'il contient des forces inconnues, dont la recherche et l'étude, et ensuite l'utilisation, sont peut-être capables d'avoir des répercussions profondes sur le destin de l'homme.

Le langage des yeux exprime des choses qu'aucune langue ne peut exprimer ; mais il est compris des hommes de tous les temps, de tous les pays, de toutes les races, et est indépendant, dans une certaine mesure, de leur degré d'évolu-

tion ; il est le révélateur de tous les caractères, de tous les
états d'âme des individus et, pour l'homme d'expérience, il
est l'élément principal de l'analyse physionomique.

De telles considérations justifient l'utilité d'une étude du
regard et, par les rapports étendus et profonds qu'elle a forcément avec la psychologie pratique, elle peut contribuer
pour une large part au perfectionnement de la personnalité
morale individuelle.

Mais, et l'expérience le prouve, chaque peuple a dans le
regard quelque chose de différent des autres peuples. L'observateur ayant séjourné dans plusieurs pays a pu remarquer,
dans chacun d'eux, si son sens psychologique le lui a permis,
combien les expressions du regard sont en rapport avec la
manière de voir, de sentir, de comprendre et de s'exprimer,
des peuples divers. Et au fond de tous les regards, sous toutes les latitudes, on retrouve toujours comme la présence
troublante d'une énigme. Les Nordiques aux yeux clairs,
comme les Méridionaux aux yeux noirs, ne livrent jamais la
totalité d'eux-mêmes dans leur regard. Et, au dire de nombreux observateurs étrangers, aucun regard ne contient autant de mystère que le regard français, presque toujours
impossible à sonder, car on trouve en lui comme une sorte
de certitude faite de logique et de raison. Le regard français
est aussi riche d'assurance qu'il est pauvre de rêverie ; il est
rarement interrogateur, l'esprit d'où il tire ses expressions
ayant le privilège, chez beaucoup d'individus, de comprendre
en devançant les explications, et leur contentement s'exprime
par le regard, auquel il faut répondre par un regard entendu,
sous peine de voir naître dans le premier regard une expression d'inquiétude ou de défi.

Si le regard français apparaît plein de mystère, combien souvent ne laisse-t-il pas, chez les âmes nobles, deviner une profonde bonté, même quand il se montre sévère. Et si, pour avoir un regard vraiment sympathique, la bonté et la bien-veillance natives sont nécessaires, il ne faut pas oublier combien de telles vertus sont faciles à acquérir, quand on le veut bien, et c'est là une des plus belles conquêtes de l'homme intelligent, l'un des échelons les plus importants pour accé-der à la supériorité morale et donnant au regard l'une de ses expressions les plus nobles, les plus profondes et les plus impressionnantes.

TABLE ANALYTIQUE

CHAPITRE III. — *Les expressions du regard*

CHAPITRE IV. — *Le regard et l'influence personnelle*

CHAPITRE VIII. — *Le regard fixe.* —
Ses effets sur l'homme et sur les animaux

CHAPITRE IX. — *Les aberrations du regard*

La composition et l'impression
de cet ouvrage ont été réalisées
par l'Imprimerie CLERC
18200 SAINT-AMAND - Tél. : 48-96-41-50
pour le compte des ÉDITIONS DANGLES
18, rue Lavoisier - 45800 ST-JEAN-DE-BRAYE

Dépôt légal Éditeur n° 1298 - Imprimeur n° 3519

Achevé d'imprimer en Mars 1987

Collection
savoir pour réussir

Dans la même collection :

Paul-C. JAGOT :

METHODE PRATIQUE POUR DEVELOPPER LA MEMOIRE. L'art d'apprendre, de retenir et de se rappeler exactement.

Une bonne mémoire facilite tout et ouvre l'accès des possibilités supérieures. En développant la vôtre, vous vous assurerez un des plus puissants moyens de succès. Vous pouvez devenir capable d'apprendre rapidement, de graver dans votre esprit tout ce dont vous voulez vous souvenir, et de vous rappeler chaque chose en temps opportun. Cette méthode, absolument unique, efficace dans les cas les plus rebelles, développe à tout âge cet à-propos continuel du souvenir, ce rappel instantané des notions dont vous avez besoin de vous souvenir immédiatement. Les 94 000 exemplaires déjà vendus (sans aucune publicité) depuis sa parution, démontrent mieux que tout, le succès de ce petit manuel.

Du même auteur, dans la même collection :

LE POUVOIR DE LA VOLONTE, sur soi-même, sur les autres, sur le destin. **Méthode pratique d'influence personnelle.**

Pour apprendre à vouloir avec énergie et ténacité, pour acquérir la maîtrise de soi-même, l'assurance et toutes les caractéristiques d'une forte personnalité. Ce livre est le plus utile, le plus salutaire que vous puissiez lire. Les plus déprimés reprennent courage en le lisant. Il révèle comment la volonté agit invisiblement en nous-mêmes et hors de nous, comment son action soulage et guérit qui sait l'employer, comment elle triomphe des obstacles, modifie les circonstances, s'impose à ceux à qui l'on pense et donne à chacun le pouvoir de forger son destin. Indispensable à qui veut réussir, clair, précis, détaillé et complet, ce manuel de la puissance individuelle est réputé comme le chef-d'œuvre du genre.
Indispensable à qui veut réussir !

METHODE PRATIQUE D'AUTOSUGGES-TION. Pour acquérir calme, fermeté et lucidité, et favoriser la guérison de toute maladie.

Par l'autosuggestion, chacun prend sur lui-même une influence considérable. Cette pratique permet, en effet, de modifier sa personnalité, ses tendances, ses penchants, de rompre toute habitude, d'acquérir l'imperturbabilité, la force de caractère, la fermeté qui caractérisent l'empire sur soi-même. Toutes les maladies organiques, nerveuses, ou morales sont rapidement améliorées sous l'effet de l'auto-suggestion, et la plupart d'entre elles sont radicalement guéries. On ne compte plus les désespérés, les infirmes, les incurables qui se sont guéris en utilisant le pouvoir de la pensée.
Ce livre, essentiellement pratique, écrit par un expérimentateur, constitue un manuel clair et précis d'où sont bannis les exagérations et les illogismes, qui ont longtemps écarté les gens sérieux de l'étude des questions psychiques. Une importante partie traite de l'art de suggestionner autrui et d'opérer ainsi les rééducations et guérisons rendues possibles par le maniement du subconscient.